달의 언어

조동원 수필집

봄봄
스토리

책을 내면서

30여 년 다니던 학교를 지난해에 퇴직 후 아줌마로의 생활이 새로 시작되었습니다. 현직에 있을 때 퇴직 후의 멋진 삶에 대하여 나름 꿈을 꾸면서 시간을 사용하는 방법을 고민하였습니다. 무얼 하지, 누구랑 만나며 지내지, 어디를 가지, 등….

제일 많이 하는 것이 여행이라던데 그건 일회성이지 지속하여 할 일은 아닌 것을 알기에 오랜 시간 지치지 않고 할 수 있는 일에 대하여 고민하다가 생각한 것이 운동과 글쓰기 두 가지를 생각하였습니다. 운동은 남편의 권유로 시작한 골프를 지인들과 함께하며 즐거운 시간을 보내고 있고, 또 하나 글쓰기는 퇴근 후 주 1회 평생교육원 수필반에 등록하여 글쓰기를 배우기 시작하였는데 그게 쉬운 일은 아니었지요. 남들보다 오랜 시간 지나 푸른솔 문학회를 통해 등단을 하였으나 동인지가 아닌 내 개인 이름을 달고 책을 낸다는 것은 엄두가 나지 않았습니다. 그건 더 어려운 일이고 그리고 조심스러운 선택이었기 때문입니다.

먼저 내가 그동안 쓴 글들을 다시 읽어봤습니다. 학교 이야기, 우리 집 이야기, 친구들 이야기, 조금씩 다르지만 내 맘을 적어 논 것들이 대부분 이었습니다. 읽다 보니 쑥스럽고 주변 사람들에게 내 보인 다는 것이 민망하긴 하지만 그게 다 내 삶의 한 장면들이니 당당해 지자고 생각했습니다. 그래도 온전히 나를 세상에 내 보인다는 결심을 하기까

지 큰 용기가 필요했지요. 숨을 크게 쉬고 한 단어, 한 문장을 다시 읽으며 정리하여 한 권의 책으로 엮어내었습니다. '달의 언어'를 생각하면서 오늘 밤에도 길에 나서면 하늘을 한 번 더 볼 수 있기를 바라는 마음입니다.

친구와 선배와 함께 배워온 지금까지가 앞으로도 더 연장되어 또 다른 나로 발전할 수 있기를 바라면서 지도해 주신 김홍은 교수님께 감사드립니다.

수필가

조 동 원

목 차

제 3 부

목요일의 아이

제 4 부

수술

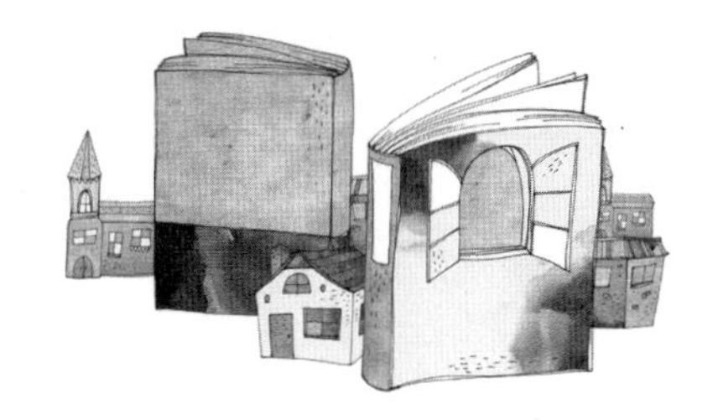

주말농장 사람들 / 소주병과 기름병 / 딸의 이사 / 버리지 못하는 봉투
내 안의 어른 / 화분 나누기 / 새 집 / 족저근막염

제 1 부 내 안의 어른

주말농장 사람들

퇴직 후 주말마다 시골로 들어가 농사를 지으려고 밭을 사러 다녔다. 주말농장을 꿈꾸면서 몇 년을 돌아다니다가 계곡이 흐르는 물가 옆에 컨테이너가 설치해 있고, 들깨가 심겨 있는 밭을 구하였다. 전 주인이 밭에 들깨를 심어 놓았으나 사정이 생겨서 수확하지 못한 채로 우리에게 넘겼다. 컨테이너 안에 최소한의 살림 도구를 갖추어 놓고 주말농장 생활을 시작했다.

대단한 넓이가 아님에도 나는 주말농장이라고 부른다. 농사 경험이 없는 우리 부부가 감당하기에는 작물을 가꾸기에 충분한 공간이 되기 때문이다. 밭을 구한 시기가 가을인지라 첫 가을에는 수월하게 들깨를 수확하게 됐으니 우리로서는 횡재가 아닐 수 없다. 첫해에 들깨를 베어야 하는데 낫을 만져본 적이 없어서 들깨를 어떻게 자를지 엄두를 못 내고 있었다. 그러던 중 유튜브에서 제초기를 사용하여 베는 것을 보고 남편과 제초기로 베어서 수확했다.

주말농장에서 생활하면서 농사짓는 일도 재미있지만, 더 큰 기쁨은 좋은 이웃들을 만난 거다. 우리보다 먼저 들어와 인근에 자리를 잡은 부부 세 팀을 만났다. 나이도 다들 우리와 비슷하다. 동갑내기 부부 A팀 아내는 나보다 두 살 아래라 나를 언니라 부르고, 그 집 남편은 우리 남편을 형님이라 부른다. B팀 부부는 우리보다 한참 나이가 많아 주말농장 동네 큰형님이다. 이미 10년 전에 귀농하여 정착했다. C팀 부부의 여자는 나와 나이가 같은데 그 집 남편이 우리 남편보다 한 살 많다. 이렇게 네 팀이 모여서 형님 동생 부르며 오순도순 정을 나누고 있다. 생면부지인 사람들 이었으나 공통의 관심사가 있으니 만날 때마다 할 이야기도 참 많다.

주말농장에서 잠을 자면 새소리 물소리로 인하여 아침 일찍 잠에서 깬다. 밭과 집이 연결되어 있어 문을 열면 고소한 들깨 향이 후각을 자극한다. 첫해 겨울을 지내고 봄이 되자 모종을 사다가 심고 정성 들여 밭을 관리하였다. 모종이 뿌리를 내리고 자리를 잡는 동안에는 주중에도 물을 주러 다녀가곤 했다. 자동차 기름값도 못 건지겠다는 생각이 들 때는 돈보다 중요한 가치를 생각했다. 정성껏 심은 작물이 자라나는 모습 하나하나를 기억해주고, 작물들 요구대로 풀 뽑아주고 순을 잘라주었다. 농사도 과학이다. 이렇게 해라, 저렇게 해라, 조언하는 선배 이웃들 도움으로 잘 적응하고 있다.

우리 네 집은 주말에 식사를 같이할 때가 많다. 어느 날 식사 중에 남편이 전문가 도움으로 우리 밭 물가에 쉴 수 있는 평상을 만들겠다고 했다. 그랬더니 C팀 남편이 사람 사서 할 것 없다며 같이 만들자고 했다. 해보지 않았다고 말하자 자기 집은 부부가 거의 지었다면서 재료만 사라고 했다. A팀 남편이 건설 현장에 있었으므로 일의 요령을 안다며 안심시켜 주었다. 그리고는 세 남자가 보은

읍에 나가 판지 나무와 못 등 재료를 사다가 만들어냈다. 3주 만에 멋진 평상이 완성되었다.

완성된 날 데크에 의자와 테이블을 가져다 놓고 모두 모여 축하 파티를 열었다. 감나무가 만들어 준 그늘에서 흐르는 계곡 물소리를 들으며 숯불에 삼겹살을 구웠다. 도와준 이웃들은 우리가 주말농장에 정착한 것을 축하해주고 우리는 텃새 없이 이웃으로 받아준 것에 대해 고마워하며 많이들 웃었다. 웃으며 함께 지낼 수 있는 이웃이 있다는 것이 주말농장에 내려주신 최고의 선물이다.

오늘은 여름 무더위를 이겨내고 우리가 직접 심고 가꾼 들깨를 수확하는 날이다. 이번에는 작년처럼 예초기를 사용하지 않고 전동가위를 사용한다. 들깨를 예초기로 베겠다고 하자 이웃들이 고개를 갸웃하면서도 해보라고 격려해 주었던 것이 고맙다. 그런 말을 들어본 적 없으니 하지 말라고 하지 않고 지켜보며 응원해 주었다. 우리가 하는 일에 지나치게 간섭하지는 않으나 우리가 도움을 요청할 때는 적극적으로 나서서 도와준다. 들깨를 벤다. 내가 줄기 부분을 감싸고 잡아주면 남편은 밑동을 가위로 자른다. 정말 조심하면서 일을 하였다.

B팀 형님 내외가 밭에 베어 놓은 들깨 더미를 보고는 잘했다고 칭찬을 한다. 다 형님 덕이라고 남편이 말한다. 화창한 가을 햇살에 잘 말린 깻단을 다음 주에는 도리깨로 털어 깨를 수확할 거다. 들기름을 짜서 시어머님에게 친정엄마에게 드릴 생각을 하니 벌써 웃음이 나온다. 다들 농사가 잘되었다고 칭찬해주는 걸 보니 성공이다. 칭찬해주고 함께 해 주는 주말농장 이웃들이 있어서 가능했다. 고마운 이웃이 내게 있다는 것에 감사한다.

소주병과 기름병

농장의 아침이 밝았다. 밖으로 나오니 연한 바람에 실려 오는 들깨 향으로 행복을 충전한다. 오늘은 지난주에 베어 말린 들깨를 터는 날이다. 해가 나면 들깨 순이 바싹 말라 그 안에 들어있는 귀한 깨알이 땅으로 많이 떨어진다. 그래서 아직은 이른 시간이지만 일을 시작하기로 했다. 남편이 깨를 털고 나는 서툰 키질을 하여 깨를 모았다. 수북이 쌓인 들깨 무더기가 기쁨을 증가시킨다.

화창한 가을 햇살에 1주일 동안 깨를 말릴 것이다. 드디어 다음 주에는 기름을 짤 거다. 내가 농사지은 깨로 기름을 짜서 먹는 생각만 해도 미소가 절로 나온다. 기름이 많이 나오면 얼마나 좋을까. 양은 한정될 건데 나누어 주고 싶은 사람은 참으로 많다. 만나는 사람마다 첫 농사 잘됐다고 자랑을 했다. 그만큼 뿌듯하고, 뿌듯한 만큼 기름을 여러 사람과 나누어 먹고 싶다.

더운 여름에 모자를 쓰고 자외선 차단제 잔뜩 바르고 밭에 모종을 심던 일이 떠오른다. 들깨 순을 따주고 물을 주기 위해 주중에도 들어와 일했다. 고생해서 거두었기에 좋은 사람들과 기름을 나누어 먹는 행복을 느끼고 싶다. 나누어 줄 사람을 손으로 꼽아본다. 주고 싶은 사람은 많은데 우선 주어야만 하는 사람이 있다. 마음과 달리 기름을 주지 못하는 사람이 있을 것 같아 안타깝다.

우선 주어야 할 1순위는 신혼살림을 하는 딸이다. "딸아! 엄마가 농사지은 깨로 들기름을 짜 놓겠으니 기대해 알았지?" 하고 전화를 걸어 큰 소리로 자랑했다. 그리고 사돈댁에 선물할 것도 준비해 놓을 테니 주말에 와서 가져가 전해 드리라는 말도 했다. 그랬더니 "엄마, 집에서 사용하는 소주병에 담지 말고 쇼핑센터에 가서 예쁜 병을 사다가 담아야 해?" 하고 말하는 거다. 예상치 못한 말이다. 선물은 내용도 중요하지만 포장도 중요하다는 말도 덧붙인다.

그러고 보니 나는 친정엄마가 소주병에 담아 주신 기름을 그냥 사용 했었다. 그뿐 아니라 각종 조미료 병도 집에 있는 빈 용기를 세척해서 사용하였는데 딸에게는 그것이 못마땅했었나 보다. 지금껏 살아오면서 중요하게 생각하지 않았던 것들이 잘못이었음을 깨닫는다. 이제부터는 하나씩 하나씩 바꾸어 나가면서 아름다움과 실용성을 함께 추구해야겠다.

나는 살면서 소소한 것을 가꾸는 데에는 신경을 쓰지 않았다. 철 따라 의복을 갖추어 입고 미용실에 가서 머리를 하고 외모 치장은 했으나 집 내부를 가꾸는 데에는 관심이 없이 바쁘게 지내왔다. 남의 집을 방문할 때 진열장에 나열해 있는 예쁜 그릇들, 작은 액자에 들어있는 귀여운 사진들, 액세서리 인형들을 보고 감탄하였지만 나도 예쁘게 장식해 보겠다고 마음먹은 적은 없었다.

그저 어질러놓지 않고 치우는 것만을 중요시하며 살아왔다. 직장 다니랴, 집안일 하랴, 너무 바쁘게 살다 보니 하루하루 살아내는 것만도 버거웠다. 예쁘게 포장하고 가꾸는 즐거움을 몰랐다. 그러다 보니 딸들에게도 아기자기함을 보여주지 못하였다. 이제는 부족했던 부분을 채워나가는 시간이, 마음의 여유가 필요하다는 것을 딸의 투정 아닌 투정으로부터 알게 되었다.

기름 담을 병을 사려고 인터넷을 검색했다. 병의 종류도 다양하고 모양도 색도 예쁘고 앙증맞은 것들이 많다. 같은 소주병도 뚜껑을 빨간색, 노란색으로 달리해서 기름의 종류를 구분하기도 한다는 사실을 알게 되었다. 지나치게 특이하지 않으면서 무난하고 깔끔한 병을 주문했다. 주문한 병이 도착하면 갓 짜낸 향기로운 기름을 가득 담아 사돈과 이웃들에게 나누어줄 거다. 기름병 하나에도 이런 차이가 있다는 것을 배우고 기름 나눔에 적용하면서 또 하나의 기쁨을 느낀다. 자기를 변화 시키면서 나를 가꾸어 나간다는 것은 정말 좋은 일이다.

딸의 이사

큰딸이 이사를 했다. 큰딸은 아빠와 함께 살면서 대학을 서울에서 다녔고 졸업 후 직장을 서울에서 잡았다. 그런데 이번에 딸 회사가 공공기관 혁신도시 이전 정책에 따라 본사를 원주로 옮기는 바람에 딸이 원주에서 살게 된 것이다. 회사에서 구해준 아파트에서 두 명의 동료와 함께 지내게 되었다. 우리 부부는 원주에서 혼자 생활해야 하는 딸이 걱정되는데 본인은 날개를 단 듯 설레는 눈치다. 이제까지는 주말에 내려왔다가 남편과 같이 올라가서 마음이 놓였는데 이제는 가족이 없이 혼자 보내는 것이다. 고등학교 졸업하면서 내 품을 떠나 살았는데 새삼 마음이 텅 비는 이 느낌은 뭐라 표현할까. 혼자 지낼 것을 생각하니 안쓰럽다는 말이 적절한 것 같다.

이사하는 날이 다가오자 안절부절 안정이 안 된다. 딸도 그래 보인다. 그런데 딸의 안절부절은 나와는 다른 맘인 것 같다. 난 안타까움이고, 조바심인데 딸은 설렘이 더 큰 것이 눈에 보인다. 방에 무엇을 놓을까, 액자를 걸까, 말까, 등등 생각이 많다.

붙박이장과 3단 서랍장은 아파트에 갖추어 있어서 큰 짐은 벗었다. 대학에 합격하여 아빠가 주중에 사는 서울집으로 갈 때는 집을 꾸며 볼 생각은 없이 몸만 올라가더니 이젠 제 방을 꾸며 보겠다는 생각으로 의욕이 넘친다. 한 달여 전부터 내게 전화해서는 온통 이사 이야기를 했다. 무얼 살까, 무얼 버릴까, 목소리가 들떠 있다. 그런데 듣는 나는 그저 대견스러우면서도 걱정이 앞선다.

딸은 지금껏 부모 마음을 상하게 하는 일 없이 많은 기쁨을 우리 부부와 가족에게 주면서 자랐다. 덜렁거리는 나와 달리 제 아빠 성격을 닮아 꼼꼼하고 야무진 면이 있지만 소심하진 않다. 의사결정을 할 때면 신중하고 추진력이 있어 부모인 우리는 동의해주고 격려해주면 되었었다. 대학을 결정할 때도 그랬다. 부모로서 더 좋은 학교로 갔으면 하는 아쉬움이 있었으나, 학교에서 아빠 집까지 먼 거리를 고생하며 다닐 것을 알면서도 본인이 원하는 과를 소신껏 선택했다. 대학 생활을 마치자 모두가 직장 잡기 힘든 시절임에도 남들이 선망하는 공기업에 당당히 합격하여 큰 기쁨을 주었다. 만만치 않은 직장생활을 야무지게 일 년 넘게 잘 해내고 있어 대견하다.

주말에 마주 앉으면 엄마의 입장보다는 직장생활을 먼저 시작한 선배 입장에서 이런저런 잔소리를 하게 된다. 표정을 부드럽게 지어라, 화장을 진하지 않게 해라, 가끔씩은 점심값을 먼저 계산도 할 줄 알아야 한다는 등의 조언을 할라치면 고개를 흔들며 내가 알아서 하고 있다고 궁시렁 댄다. 말은 그리하면서도 저녁이면 "엄마 오늘 이런 일이 있었는데….”하며 낮의 일을 쏟으면서 내 의견을 묻는다.

옮겨갈 이삿짐을 싸면서도 우리는 의견이 엇갈렸다. 나는 이것저것 자꾸 넣어 주려하고 딸애는 방을 깔끔하게 하고 싶다며 거부했다. 그랬는데도 정리한 짐을 보니 대단하다. 신발만 커다란 상자로 두 개가 차고도 남아서 몇 켤레는 청주로 가져왔다. 단출한 걸 좋아하여 짐을 늘이지 않는 나하고는 다르다. 화물차 아저씨는 나와 다르게 “이 정도면 아가씨가 많이 알뜰한 거예요.”라고 칭찬까지 해 준다.

화물차 주인은 부부가 함께 왔다. “처음 보는 낯선 사람과 둘만 동승시키기가 걱정됐는데 부부가 와서 안심이네요.” 하고 말하니 딸도 성인이니 제가 알아서 하도록 두라고 남편이 지청구 한다. 딸은 화물차에 같이 타고 출발했다. 서울 집 정리를 대충하고 우리도 원주로 향했다. 우리가 도착했을 때는 고마운 아저씨 부부는 딸의 마음에 흡족하게 짐을 정리해주고 서울로 돌아간 뒤라 부모로서 고맙다는 인사도 못 했다.

아파트 방 한 칸이 딸이 혼자 사용하게 된 공간이다. 이 많은 짐들을 어찌 다 정리할 건지 걱정되는 나와는 다르게 딸은 마냥 신났다.

낯선 곳에서 월요일 첫 출근. 잘할지 걱정이지만 조바심은 접어두고 우리 부부는 청주로 돌아왔다.

지금껏 잘 커온 딸에게 고맙고 대견하다는 마음을 전한다. 앞으로도 지금까지처럼 잘할 수 있으리라 믿는다. 엄마, 아빠의 욕심은 원주에 딸과 함께 남겨두었다.

버리지 못하는 봉투

딸이 첫 월급을 탔다고 봉투를 내민다. 열어보니 오만원권이 몇 장 들어있다. "고마워 잘 쓸게!" 하면서 울컥하는 감정을 누르고 덤덤한 척 받았다. 월급을 타서 용돈을 가져오다니, 어느새 이렇게 커버렸나. 이 귀한 돈을 차마 어떻게 쓸까. 가슴이 벅차서 방을 나가는 딸의 뒷모습을 쳐다보았다.

딸이 준 돈이라 너무 소중하여 쓰지 못하고 화장대 서랍 깊숙이 보관하였다. 그 뒤로도 어버이날이라고, 명절이라고 예쁘고 단정한 봉투에 얼마씩 현금을 넣어서 주곤 했다. 받은 봉투를 열어 볼 때마다 기분 좋고 가슴 뿌듯했다. 그때마다 고맙다 잘 쓸게 말은 했지만 돈은 쓰여지지 않고 화장대 서랍 속에 쌓여져 갔다.

이 돈을 모아서 무얼 하겠다는 계획도 없었다. 내게 특별한 돈이니 특별하게 사용하고 싶다는 막연한 바람만이 있었다. 올 어버이날 받은 봉투까지 세어보니 모두 일곱 개다.

그리고 가을 추석 때였다. 딸이 교제하던 남자와의 결혼을 허락받겠다며 우리 집에 함께 왔다. 반갑고 귀한 손님이 온 거다. 우리 가족은 마음껏 환영하면서 맞이하였다. 처음 보는 낯선 사람이지만 가족으로 받아들여야지 하는 마음이 속에 있으니 사랑스러운 모습이 많이 보였다. 남편도, 작은딸도 같은 마음으로 환영하고 가족으로 받아들였다. 마음에 드는 사람과 같이 온 딸도, 딸과 함께 와 공손하게 인사하고 웃으며 이야기 하는 사람도 모두 고맙다. 함께 식사하는 자리에서 이런 저런 이야기를 하는 둘의 모습이 그저 대견하고 사랑스럽다.

두 사람이 양가 부모님 허락을 받고 내년 가을에 결혼식을 올리게 되었다. 그리고 하는 말이 올겨울에 웨딩사진 촬영을 겸하여 외국으로 여행을 간단다. 그 말을 듣자 내가 여행을 가는 것처럼 벌써 설렌다. 아, 이때다. 드디어 딸이 준 용돈을 사용할 특별하고 즐거운 일이 생겼다.

지금껏 모아 두었던 돈 봉투를 열어서 돈을 모아보니 한 장 부족한 백만 원이다. 내 지갑에서 한 장을 꺼내어 보탰다. 이번 주 집에 오면 예쁜 봉투에 이 돈을 넣어서 딸에게 줄 것이다. 둘이 하고 싶은 대로 사용하라는 메모도 함께 넣어야겠다. 아마도 딸은 받지 않겠다고 사양할 게 뻔하다. 지금까지 둘이 함께 적금을 들었으니 그 돈으로 이번 여행경비를 충당할 거라고 이야기 했었으니까. 나는 계획에 없던 특별한 둘만의 이벤트에 사용하라고 할 것이다. 세월이 흘러 어느 날 엄마의 배려로 경험한 특별했던 웨딩촬영 추억을 떠올리며 행복한 기억을 이야기하게 되면 좋겠다. 이 돈을 어디에 쓸까 했는데 정말 기분 좋은 선택이다. 남편에게 봉투 사용을 이야기하면 잘했다며 내 손을 잡아 줄 것이다. 그 사람도 딸이 예쁘게 자라 준 것을 함께 고마워하고 있으니까. 둘째 딸은 "엄마를 위해 돈을 써야지 그게 뭐야!" 하면서 안타까워하겠지. 그리 말하는 그 맘을 내가 안다. 엄마인 내가 가족을 돌보느라고 나 자신을 위해선 돈을 쓰지 않고 아끼며 지냈다는 생각에 그럴 거다. 그래서 더욱 즐겁다. 이렇게 서로 마음을 알아주며 다독거리는 일상이 우리 가족의 모습이어서 좋다.

화장대 서랍 속의 봉투는 나 혼자 즐기는 작은 행복이었다. 딸을 생각하면서 살포시 미소 짓는 기쁨이었다. 딸이 여행을 떠났다. 서랍을 열어보니 돈이 빠져나간 빈 봉투만 남았다. 딸의 사랑이 들어있는 봉투다. 봉투에는 '2014첫 월급' 이라고 쓰여 있는 것도, '2018 구정' 이라고 쓰여 있는 것도 있다. 흰색봉투도 분홍색 봉투도 모두 소중하고 정성스럽다. 나는 이 봉투를 버리지 않고 두고두고 볼 것이다. 이후에도 또 다른 봉투가 쌓여 갈 것이다. 그것도 버리지 못하고 또 모아지겠지. 나중에 어느 추운 겨울날 따뜻한 난로를 마주보고 둘러앉아 이 봉투를 보여주면서 우리 가족의 긴 시간을 기억하며 이야기할 수 있는 날이 오게 되면 참 좋겠다.

내 안의 어른

큰딸이 가을에 결혼을 한다. 혼수품 등을 하나씩 챙겨가며 준비하는데 결혼식 할 때 주례에 대한 언급이 없었다. 딸에게 물어보니 많은 친구들처럼 주례가 없이 둘이 함께 입장하는 결혼식으로 진행할까 어쩔까 고민 중이란다. 그러면서 엄마나 아빠가 알아봐 주면 좋겠다는 이야기를 더한다. 순간 정말 딸의 결혼식 주례로 내가 모시고 싶은 한 분이 떠올랐다.

내가 대학교 다닐 때 지도교수로 계시던 분이다. 우리가 대학을 다니던 4년 동안, 이어서 대학원 때에 강의를 듣고 수시로 교수님 연구실에서 차도 얻어 마시고 심지어 가끔은 대학교 후문 앞에 있던 교수님 댁에 들러서 사모님이 내주던 차를 마시기까지 하던 분이다.

우리 친구들은 교수님께 화학이라는 전공 수업과 거기에 따른 여러 지식을 배우는 관계로 따랐다기보다는 삶을 사는 자세를 배웠다는 것이 더 옳은 표현인 것 같다. 물론 대학 1학년 때부터 시작된 교수님과의 수업은 일반화학이라는 교양과목에서 시작해 2

학년 전공과목의 여러 시간을 강의실과 실험실에서 가르침을 받았다. 수업시간의 배움보다는 어쩌다 마주친 공강 시간에 대화하면서 마음으로 전해지던 세상을 대하는 태도에 동의하며 그 자세를 따라가려 노력하였던 것 같다.

함께 차 마시면서 서두르지 않고 욕심내지 않으면서 한 과정씩 차분하게 그리고 조용히 살아가는 여유로움과 넉넉함을 배웠다. 교수님과 만남이 있은 다음엔 우리 친구들끼리는 그 만남에서 있었던 이런저런 이야기를 하면서 여물지 않은 마음을 조금씩 키워갔다. 그렇게 학생에서 지금의 성인으로 성장해 나갔다. 졸업 후 대부분 교사로 발령받아 직장생활 한지가 벌써 30년이 되어간다. 그동안 누군가의 주선으로 1년 혹은 2년 만에 연락을 하면 시간이 허락하는 한 우리의 모임에 함께 해 주셨다. 그런데 교수님께 난 나의 결혼 주례를 부탁하지는 못 하였다.

그때는 내가 더 어렸었고 뭔가 쑥스럽고 어색하였기에 부탁하는 것이 조심스러웠었다. 이번에는 또 다른 조심이 앞섰다. 여럿이 모이는 공공장소에 나서는 것을 좋아하지 않는 교수님의 성향을 우리는 알고 있기 때문이다. 그래서 교수님께 전화 드리기 전에 친구에게 전화하여 내 고민을 이야기했다. 우리 결혼식 주례를 부탁하는 것이 아니고 자식이니 이제는 들어 주실 법도 하다는 이야기를 하며 말씀을 드려보라고 권하였다. 용기를 내어 다음날 조심스럽게 전화를 드렸다. 사정을 이야기하니 가을일을 벌써 하신다. "교수님 제 결혼식 주례는 안 하셨으니 이번에는 해 주세요."라고 떼를 썼더니 어렵게 승낙해 주셨다. 내가 살아가면서 어른으로 모시고 존경하는 분이 사랑하는 딸 결혼식에서 좋은 말씀을 해 주신다니 정말 기쁘고 뿌듯하다.

어떤 덕담의 말로 둘의 결혼을 축하해주실까. 우리에게 욕심내지 않고 천천히 시간을 따라가는 모습을 보여 주시던 분이다. 어떤 때는 세상과 너무 동떨어져 사모님과 둘이서만 온화하고 평화롭게 사시는 것 같아 안타까울 때도 있었다. 하지만 학교 다닐 때 실험실에서 만큼은 대충을 허락하지 않으셨다. 약품을 다루는 실험을 하던 중 이었다. 내 실수와 서두름으로 시약의 질량측정이 잘못되어 정확한 칭량이 되지 않는 것을 스쳐 지나가면서 보시고는 지나가는 한마디를 하셨다. "ㅇㅇ의 실험은 과정만 보고 결과는 따라 하지 마." 나처럼 건성으로 해서는 좋은 결과가 나올 수 없음을 넌지시 지적해 주신 거다. 큰소리 안 났지만 마음속으로 무척 뜨끔했고 이후는 정성스러운 마음으로 실험에 임할 때 차분하게 집중하려 노력하게 되었다. 이게 우리 교수님이시다. 많은 말 안하지만 듣는 상대방이 꼼작할 수 없게 만드는 힘 있는 한마디를 하실 줄 아는 멋진 어른이시다.

이런 조용함 속의 엄격함을 나와 우리 친구들은 좋아하면서 교수님을 따랐던 것 같다.

자주 만나고 이런 저런 일을 일일이 의논하는 사이는 아니지만 가끔씩 떠올리며 친구들과 이야기하고 교수님과 지난 시간을 그리워하는 우리가 될 수 있게 해 주신 것에 감사한다. 내가 살아가면서 길잡이가 되어 나를 이끌어 줄 어른이 내 주변에 있다는 것이 나를 넉넉하게 해 준다. 든든한 기둥인 셈이다. 이제 결혼을 하여 어른으로 변해가는 딸과 아직은 낯선 예비사위에게도 이렇게 마음속의 어른이 한 분 계셨으면 좋겠다.

다음 번 딸과 사위를 만나면 나와 교수님의 인연을 이야기해 주면서 "지금 당장은 아니지만 생각하면 웃음이 나고 편안하게 의지할 수 있는 그런 어른을 마음속에 두고 살아간다면 좋겠다."는 말을 해줘야겠다. 딸도 그렇고 예비사위도 그렇고 가족이나 직장상사로 자주 만나지는 못해도 어려울 때나 힘든 결정을 할 때 '그분'이라면 어떤 생각으로 일을 마무리 할까를 생각해보고 그 생각대로 따라갈 수 있는 그런 어른을 가슴에 품고 세상을 살아간다면 좋겠다.

화분 나누기

베란다에서 나와 함께 15년 이상을 같이 한 화분들을 정리하기로 하였다. 두어 달 있으면 이 집을 비워주고 새로 분양받은 아파트로 이사를 한다. 그곳은 여기보다 작고 또 요즘 다들 하듯이 베란다를 확장하였기에 많은 화분을 가꾸며 보관할 공간이 없기 때문이다. 그동안 이 생각 저 생각하다가 거실에 둘 수 있는 작은 난 화분과 올해 퇴임하면서 선물로 받은 콩고 화분만을 이삿짐에 포함하기로 하였다.

우리 집 화분은 거의 지인들에게 선물로 받은 것이기 때문에 하나하나에 다 사연이 있다. 가장 오래된 화분은 '산세베리아'다. 중학생일 때 배운 제자들이 자라서 대학 졸업할 무렵에 스승의 날이라고 돈 모아 케이크와 함께 가지고 온 거다. 한참을 이야기하고 난 후 꼭 잘 키우라고 했었다. 이 집에 이사 온 지가 15년째이니 이 화분은 거의 20년을 나와 함께 잘 지내왔다. 가끔 제자들의 얼굴을 떠올리며 옛날을 회상하게 해 주었었다.

그다음 오래된 화분은 이름 모르는 서양 난 화분이다. 이 화분은 예전에 충주로 통근하며 다니던 학교에서 만났다. 아무도 돌보지 않고 과학실 한구석에 있던 것인데, 근무하면서 내가 물주며 가꾸기 시작했다. 이름은 모르지만 축 처져 있던 화초에 물을 주니 잎에 윤기가 돌면서 나를 기쁘게 했었다. 물을 먹고 빛을 받아 초록으로 싱싱하게 자라나는 서양 난 화분을 다른 학교로 발령이 났다고 혼자 두고 올 수가 없었다. 그래서 정리하는 물건들과 함께 우리 집으로 가져왔다. 고마웠던지 우리 집으로 온 그 해 이른 여름에는 꽃대가 올라오고 은은한 향기와 함께 연미색의 꽃을 피워서 딸들이 좋아했던 기억이 난다. 그 뒤로도 어느 해는 꽃을 피우고 어느 해는 피우지 못 하였지만 초록색 줄기는 유지하면서 새로운 촉을 만들어내기를 여러 번 하였었다.

새 줄기를 만들 때마다 난 기쁨과 희망을 느끼며 화분에게 고마움을 갖고 열심히 물을 주며 가꾸어오기가 15년이 되어간다. 이 화분은 올해도 꽃을 피워 지금 우리 거실에서 자태를 뽐내고 아침 은은한 향기를 실내에 뿜어내고 있다. 이 난은 새집으로 함께 가기로 했다. 선택이 되었으니 나하고 앞으로 몇 년을 더 함께 지낼 것이다.

하나씩 우리 집으로 오게 된 내력을 되새기며 이 생각 저 생각하다 보니 한 화분에 눈이 머물렀다. '필로덴트론 셀럼' 화분인데 대부분의 화분은 지인에게 선물을 받은 것이지만 이것만은 화원에서 내가 직접 사서 우리 집에 가져다 놓은 특별한 것이다. 어느 우울한 날 꽃이라도 사면서 기분 전환을 해야겠다는 생각에 화원에 들렀었다. 한편에서 아주 씩씩하게 팔 내밀며 자리한 모습이 좋아서 큰 화분을 사 끙끙대며 내 차에 싣고 집으로 왔던 기억이 난다. 난 그날 이 셀럼 화분의 기를 받아서 원기 충전하여 일상으로 돌아가기가 수월하게 되었다. 그 뒤로는 우리 집에 적응을 잘해 새 촉을 내주면 친구에게 분양도 해 주었다. 분갈이 할 때는 한쪽을 떼어내서 화원에 주고 오기도 하면서 자라고 있었는데 이번에는 함께 가지 않기로 마음먹었다. 아쉽지만 모두와 함께 갈 수는 없다. 이러한 고민을 주말농장 마을에 있는 새로 사귄 친구들에게 이야기했더니 걱정 말고 가져오라 하였다. 이웃에 있는 새 집에서 다 나누어 가져가겠다는 것이다. 얼마나 고마웠는지 모른다. 이제 마음 아파하지 않고 이사 가기 전에 화분을 정리할 수 있게 되었다.

우리의 화분을 잘 키워주겠다 하니 이사 준비하는 마음이 한결 가벼워진다. 작은 다육이가 심겨 있는 화분들은 바로 옆집에서 가져갔다. 모양이 특이한 화분과 분재 화분, 산새베리아 화분은 옆 동네에 사는 동갑내기 친구가 가져갔다. 뒤늦게 온 아랫집 언니는 스파트필름 화분과, 독고리난 화분 등을 챙겨가며 좋아했다. 20여 개의 화분이 모두 분양되어 나가니 조마조마하던 마음이 놓인다.

다행이다. 남는 것이 있었다면 화분은 깨서 땅에 묻고 식물은 퇴비 밭으로 갈 뻔했는데 그런 불상사는 일어나지 않았다. 우리 집에서 나와 가족에게 기쁨을 주던 식물들이 다른 집에 가서도 그 집 가족에게 기쁨과 웃음을 주면서 자라나기를 바란다. 마치 키우던 자식을 남의 집에 보내는 기분이다.

하지만 미련을 접어야 한다. 미련으로 잡고 있으면 나중엔 감당하지 못해서 그냥 버려야 될 수도 있다. 내가 놀러 가면 식물들이 변해가는 모습도 보면서 같이 이야기할 수 있을 거다. 20여 년 길렀던 식물들이 내 이웃에게 가서는 더 오래 잘 살기를 바란다. 내게 주었던 기쁨보다 더 큰 즐거움을 새 주인에게 주며 사랑받으며 자랄 수 있기를 기대한다.

새집

15년 살던 집을 떠나 새집으로 이사를 왔는데 모든 것이 낯설다. 아침에 눈을 뜨면 두 딸이 돈을 모아 이사 기념으로 사 준 침대부터 예전 것과 다르다. 훨씬 고급스럽고, 푹신하다. 이 좋은 기분을 남편과 함께 나누고 이야기하면 낯섦이 덜할 텐데 곁에는 말할 사람이 없다. 순간 주말부부의 외로움이 느껴진다.

전에 살던 집도 15년 전에는 새집이었다. 그때도 지금도 같은 새집이었지만 그때는 아침에 일어나면 깨워야 할 딸들이 있었다. 직장으로, 집으로 정신없는 일상을 보내고 나면 하루가 어찌 가는지도 모르고 지나가면서 새집에 정이 들었었는데….

어느덧 시간이 흘러 큰딸은 시집을 가고, 둘째 딸은 충주로 직장이 잡혀 그곳에서 살다 집에는 가끔 온다. 방 한 칸에는 둘째 딸의 책상도 있고 침대도 남아서 집을 찾아 쉬러 오는 주인을 기다리고 있는 것이 그나마 다행이다. 그런데 큰딸 흔적은 없다. 결혼 했기에 남아있던 자기 물건을 이사하면서 다 정리했다. 이사 전에는 그

애가 쓰던 침대며 책상은 방에 그대로 남아있었는데 작은 집으로 옮기려니 나눔 장터에 올려서 모르는 사람에게 주고 왔다. 복잡해도 가지고 올 것을 그랬다. 큰딸이 결혼하여 내 품을 떠났다는 허전함을 더욱 실감하고 있다.

무엇보다도 내가 변했다. 아침 출근도 없어지고, 저녁 퇴근도 없어졌다. 학교를 퇴직하고 이제는 가정주부로서의 일상이 있으니 새집에서의 낯섦이 더하다.

사전점검 때 와보니 베란다를 확장한 집이라 화분을 둘 공간이 없음을 알게 되었다. 20여 년간 키워왔던 다양한 종류의 화분이 있어 철마다 변해가는 모습을 보면서 기쁨을 느끼고 시간의 흐름을 인지하며 기쁨을 느꼈었는데…. 어쩔 수 없이 거의 정리하고 거실에서 키울 난 화분과 퇴임 후 선물 받은 '마지나타', '콩고'만 나와 함께 이 집으로 왔다. 키우던 화분 하나하나에는 각기 다 사연이 있었기에 다른 이들에게 나누어 주고 온다는 것이 참 아쉬웠다. 때 되면 물주고, 겨울이 오기 전에 분갈이해 주며 정들은 것들 이었지만 공간이 허락하지 않으니 어쩔 수 없는 선택이었다고 자위하며 아픈 맘을 달랬다. 화분을 대부분 나눠주고 왔는데도 정리할 것이 너무나 많다. 제일 걱정이 부엌 집기들을 알맞은 자리에 놓아주는 것이다. 좁아진 싱크대에 그대로 가져온 냄비와 접시들을 넣어 둘 엄두가 나지 않는다.

남편은 급하게 서둘지 말고 살아가면서 천천히 하라 하지만 나는 마음이 급하다. 우선 식사 준비하려고 싱크대 앞에 서면서부터 혼

돈이 시작된다. 오늘 준비하는 음식은 어떤 용기를 사용할지 그것이 어디에 있는지 찾아내는 것부터가 일이다. 이런 주부의 마음을 남편은 모른다. 이럴 때마다 '사는 나라가 다르다.'라고 표현하지만 어쨌든 빨리 정리를 해야지 이 새집에 정을 들일 수 있을 것 같다.

일요일 저녁에 남편마저 서울로 가고 나면 혼자 남은 집에서 또 머리를 썩힌다. 여기도 정리해야 하고 저기에 있는 물건은 어딘가로 옮기는 것이 더 나은 것 같고….

새집에서 제일 고민하는 것은 나만의 자리 찾기이다. 내가 책 읽으며 라디오들을 공간을 확보하는 것이다.

좁아진 집에서 독립된 공간을 만드는 것은 어려워 거실 한편을 찜했다. 전에 살던 집 베란다에 있던 티테이블과 의자 두 개를 거실 벽에 마주하여 붙여 놓고 퇴직 선물로 남편이 사준 노트북을 올려놓으니 안성맞춤이다. 고개를 우측으로 조금 돌리면 거실 창을 통해 '원수산'이 보인다. 산이 보인다는 것은 숨을 크게 쉬는 여유를 갖는 시간을 만들어 나갈 수 있음이고, 그건 내가 노력하는 대로 가능한 것이니 좋다.

할 수 있다. 어깨 펴고 숨 들이쉬면서 고개 돌려 하늘 보는 여유가 나를 키워나가는 양분이 되기를 바란다. 새집에서 내가 바라는 것이다.

이제 인생 2막이 시작되었다. 2월 말 직장생활을 명예퇴직으로 마무리하고 자유인이 됐으나 8개월의 시간이 지나는 동안은 그저 정신없이 시간이 흘러갔다. 이제 어느 정도 정리되어 주말이면 시골에 마련한 주말농장에서 남편과 텃밭을 일구고, 주중에는 새집에서 혼자 시간을 보내며 새로운 세상에 적응하려 노력하는 중이다. 나태해지지 않고 게으름 부리지 않기를 기도한다. 깨어있는 정신을 더 맑게 하고자 노력하면서 가끔은 크게 숨을 쉬며 갈 거다. 그렇게 여유를 갖고 생활해 나갈 것을 새집에서 다짐하며 출발한다.

족저근막염

9월 초에는 동료 교사와 일과가 끝나고 강당에서 베드민턴을 재미나게 쳤었다. 베드민턴은 짧은 시간에 엄청나게 많은 운동량으로 운동효과가 대단하기에 아주 가끔 하는 운동이었다. 한참을 정신없이 하다가 한쪽 발을 잘못 디디어서 접 질러버리는 사고가 발생하였다. 그 날은 겨우 퇴근하였고 다음날부터 근처 한의원에 다니면서 침을 맞으며 치료를 하였다. 며칠 치료 하는 중에 이상한 것이 다친 쪽은 오른 쪽 발 바깥인데 발 안쪽으로 오목한 곳에서 미세한 통증이 계속 나타나는 것이다. 주말이 되어 남편에게 이상하다고 투덜 되면서 몸이 불편한 것을 하소연하였더니 정형외과나 신경외과에 가서 정확한 진단을 받는 것이 좋겠다고 조언을 한다.

월요일 퇴근 후 집 근처 병원에 가서 증상을 이야기 하였더니 X레이 사진을 찍고 문진을 한 의사는 '족저근막염'이라는 처방을 내리면서 당분간 물리치료와 약을 먹으며 치료를 하란다.

지금껏 다른 사람이 겪은 것 겪지 않은 온갖 병들을 참 많이도 결렸고 병원, 한의원을 다닌 것도 부족하여 듣도 보도 못한 '족저근막염'까지 치료받아야 한다는 말에 정말 기분이 착잡하였다 .

첫날 치료 후 병원을 나서면서 서울에 있는 남편에겐 전화로 의사의 진단을 이야기하고 집으로 돌아와서는 이생각저생각으로 우울하였다. 이 병의 출발이 무엇일까를 생각하다보니 올봄부터 휴일마다 작정하고 여기저기를 걸으면서 즐거워하던 기억이 났다.

지난 겨울에 미국작가 셰릴스트레이트의 '와일드'라는 미주대륙 4285km 횡단 여행기를 읽으면서 감동하였고, 이어서 나도 이렇게 나를 이겨내는 걷기를 생활화하자는 결심을 하였었다. 거기에 겨울이 끝날 즈음 읽은 우리나라 극작가 이기원씨의 '길 위에 내가 있었다.'라는 이탈리아 센티아고 순례기는 걷기 결심을 한 층 더 부추기는 촉매가 되었다. 저자들처럼 내가 커다란 무언가 얻기를 기대하는 건 아니지만 걸으면서 정리하고, 반성하고, 하늘과 땅을 느낄 수 있다면 되는 거 아닌가?

4월 학교 개교기념일은 남들 다 출근하는데 나만 집에서 쉬는 내게는 아주 특별한 날로 뭔가 새로운 일을 시작하기에는 안성맞춤이었다. 전날 학교에서는 동료교사의 도움으로 만보기 앱을 다운받으면서 나름 도보여행 준비를 하였다.

다음 날 결심을 실천한 다는 설레는 마음으로 작은 배낭에 집에서 직접 내린 커피를 보온병에 챙기고 다른 날보다 서둘러 일찍 집을 나서고는 김밥 한 줄을 산 후 출발하였다. 처음이니 욕심내지 않고 가능할 것 같은 만만한 코스로 대청댐을 모험의 출발지로 삼았다. 주차장에서 신탄진까지의 데크산책로를 왕복하자는 계획이었다.

대청댐 주차장에 차를 세우고 이기원씨가 산티아고 순례길 출발 지점에서 주문처럼 중얼거린 '마크톱'이란 단어를 나도 떠올려 보았다. '무언가를 간절히 원할 때 온 우주는 우리들의 소망이 현실이 되도록 도와준다.'는 뜻이란다. 멋진 말이다!

지금까지는 매번 하고 싶은 것을 머리로만 생각하고 실천하지 못하던 나에게 실망만 했다. 지금부터는 걷자, 걸으면서 지금까지의 나를 조금이라도 바꾸어보자고 마음속으로 또 다짐했다. 4 월의 봄바람, 햇살은 따스했고 이제 막 새싹을 키워내는 나무는 푸르름을 뽐내고 있었다. 나는 그 나무와 물과 하늘을 즐기면서 신나고 즐겁게 걸었다.

걷다가 다리 아프거나 예쁜 꽃이 있으면 근처 벤치에 앉아 준비한 커피마시며 꽃잎 사진을 찍어서 카톡으로 친구들에게 자랑하고 흐르는 물 보면서 물결을 세어보고 …

그날 이렇게 4시간여 동안 걸은 거리는 10km정도 되었다. 그래도 다리에는 별 무리가 없는 듯 했다. 다음날 출근하는데도 다리가 아프거나 근육이 당기지도 않았다. 자신이 붙어 그 이후로는 휴일에 특별한 일이 없으면 휴대폰을 켜고 집 근처를 걷고 또 걸었다.

친구들에게는 위 두 책의 저자들 마냥 발톱이 몇 개씩 빠지지는 않아도 검정색으로 멍이 들만큼은 걸어보겠다고 자랑과 다짐도 하면서 지치려는 나를 격려했다. 상당산성 주변을 다른 날보다 멀리 돌아서 걸었고, 무심천 생태공원 길을 걸었고, 교원대학교 뒤쪽으로 난 길을 차들을 피해가며 먼지 마시며 걸었고…. 그래도 내 발톱은 무사하였고 난 농담으로 '아직도 멀었어.' 이렇게 연습해서는 제주도 '올레길', 지리산 '둘레길'도 다 내 발로 걷고 말거야 했었는데, 족저근막염이라니!

이 계획이 나에게는 꿈이 되려나하는 초조함까지 생기게 되었다. 어찌할거나?

사람마다 다 다르고 그러니 운동도 각자의 체력과 능력에 맞추어서 해 나가야 한다는 말을 지금까지 남의 이야기로만 들었는데 병원 물리치료라는 처방은 나를 참 맥 빠지게 한다. 병원 간 첫날 의사에게 인사하고 진료실을 나오면서 "저 선생님, 오늘 치료 끝나고 골프 연습장에 가서 공 한박스 치는 것도 안 되나요?" 하고 물었더니 그건 발을 땅에 딛고 하는 운동이니 큰 상관이 없다는 대답을 들었다. 치료받는 당분간 걷는 것을 못하니 그 동안 연습장 안 다녀서 묵혀두었던 쿠폰이나 써야겠다는 오기 아닌 오기가 발동을 한다.

그래도 봄에 그렇게 즐겁고 신나게 걸으면서 즐기던 행복의 결과가 병원 물리치료라니, '내가 너무 심하게 도보코스를 잡기는 했나보다.'라는 반성이 든다. 이 치료가 다 끝나면 즐거운 마음은 그냥 두고 다리와 발은 조금씩 살펴서 걷기코스를 잡아야겠다. 뭐든 넘치면 모자람만 못하다는 옛 어른들의 말씀을 기억하지만 걸으면서 즐거웠던 기억은 남아 있으니 그걸로 만족하자는 생각을 하면서 씁쓰레한 웃음을 짓는다.

벌써 30년 / 명예퇴직하는 선생님께 / 새학기 첫 수업 / 나의 배움은

배움의 공동체 수업을 보고 / 과학실 수업 / 혈액검사 / 달의 언어

제 2 부

달의 언어

벌써 30년

봄이 오는 것을 시샘하는 듯이 찬 공기는 어깨를 자꾸만 움츠리게 한다. 그날도 아침 시간이 바쁘게 지나가고 있었다. 첫 시간 수업을 마치고 나오니 책상 위에 둔 전화에 문자 신호가 와 있다. 열어 확인하니 택배가 배달됨을 알리는 내용이다. 내가 주문한 게 없으니 남편이 캠핑 용품을 또 주문했나보다 하고 퇴근 후 경비실에 들러 찾으면 되겠지 하고 신경을 안 썼다. 찬 손을 녹일 겸 따뜻한 차를 마시며 여담을 하고 있는데 택배 도착한 게 있으니 찾아가라는 행정실에서 보낸 메신저가 떴다. 학교로 올 택배는 도저히 생각나지 않아 궁금한 마음에 얼른 내려 가보니 커다란 아이스박스가 내 앞으로 와 있었다. 발신인 이름을 보니 큰딸이다. 예상치 못한 일이다. 지금까지 딸이 내게 물건을 보낼 때는 집으로 보내지 이처럼 생뚱맞게 학교로 보내온 적은 없었다.

딸에게 전화했더니, 엄마 교직 생활 30년 축하하는 선물이니 다른 선생님들과 나누어 드시라고 말한다. 그러면서 선생님들이 좋아하실만한 것들로 열심히 골라 보냈단다. 세상에 우리 딸로부터 이런 선물을 받다니…. 감동이다. 내가 교직에 들어선 지 어느새 30년이 되었구나. 이런 감동의 선물을 받게 될 줄은 생각하진 못했다. 차가운 채로 배달된 망개떡을 교무실에 계신 선생님들께 각각 나눠 드리면서 교직에 들어선 지 30년이 된 것을 딸에게 축하받으며 선물로 받는 것이라고 자랑하였다.

"벌써 그렇게 되셨어요?" 하면서 선생님들이 이런 저런 덕담을 건네주고 웃으며 축하해 준다. 서로서로 따뜻한 말로 정을 나누고 격려해 주면서 지쳐가는 마음에 힘을 더해주는 동료 교사들이 고맙다. 세상이 각박해지고 나밖에 모른다고들 하지만 마음에서 나오는 끈끈한 그 무엇이 '정'이라는 이름으로 남아 있고, 우리는 그 정을 함께 나누면서 교무실이라는 한 울타리에서 지내고 있다.

그동안 나는 어떤 선생이었나. 수업을 잘하는 선생이었을까? 아이들이 꿈을 꾸게 도와주는 역할을 잘 했을까, 수업을 준비하면서 자만하거나 소홀한 적은 없었을까? 등 이런 저런 생각을 하면서 나를 돌이켜 본다. 교사라는 직업은 스승과 제자가 함께 근무하기도 한다. 내가 가르쳤던 학생이 교사가 되어서 나와 같은 교무실에서 근무한 적이 있었고, 나 역시 중학교 때 담임 선생님이셨던 분과 같은 교무실에서 근무한 적도 있다.

처음에는 어색하고 쑥스러웠지만 얼마 안가 적응하면서 선생과 제자가 아니라 동료 교사로서 자연스러운 관계를 맺으면서 잘 지냈었다. 이런 경험은 내가 교사로 지내면서 남들은 해보지 못한 매우 특이한 일이지만 그래도 많이 어색하거나 힘들지 않고 좋은 관계를 맺을 수 있었다. 내가 가르친 제자가 교사로 와서 함께 근무하게 되었을 때는 제자인 젊은 선생에게 내가 서툰 컴퓨터 조작 능력을 배웠다. 담임 선생님이었던 스승과 같이 근무할 때는 아침마다 정성스럽게 마음 담아 커피 타 드리면서 인생의 선배로 잘 모시려고 노력하면서 새로운 인연을 쌓아갔었던 기억도 새롭다. 이 모두 교사로 지내면서 내가 지나온 기억의 한 부분이다. 무엇보다도 수업하는 교실에서 아이들 눈 맞추고 웃으면서 교과서 들고 칠판에 학습할 내용을 적어 나가던 시간이 내게는 가장 소중한 시간이었다. 이러한 좋은 기억이 있었기에 30년을 보내면서도 긴 시간이라 느끼지 않고 지금까지 지낼 수 있지 않았나 생각해 본다.

정말 많은 시간을 학교에서 보냈다. 힘들었던 시간도, 어려웠던 시간도 있었지만 웃으며 보낸 시간이 훨씬 더 많았다. 내가 첫 출근 할 때보다 나이가 더 많은 딸이 30년 근무 축하 선물을 보내주어 행복한 하루였다.

명예퇴직하는 선생님께

우리 선배 ㅇㅇㅇ 선생님!

선생님! 먼저 불러봅니다. 이 시간 이후에도 우리는 언제나 선생님이란 호칭으로 당신을 기억할 겁니다. 참으로 많은 시간이 지났지요. 강산이 변해도 세 번은 변했을 33년이란 세월을 교단에서 보내고 가시는 당신을 존경합니다. 우리는 친구들을 만나면 "넌 어쩜 하나도 변하지 않았니?" 하고 웃으며 인사를 합니다. 가끔 만나 세월 가는 걸 함께 경험하니까요. 선생님이 지금까지 교실에서 만났던 학생들, 사회인이 된 그들이 지금 선생님 모습을 보면 뭐라 말할까요. 그들의 기억에 있는 선생님 모습이 아닌 시간 따라 변한 선생님의 모습을 보고 그간의 긴 시간을 실감하겠지요. 사실 선생님도 저도 많이 달라진 모습인 것을 우리가 애써 외면하는 건지도 모릅니다.

첫 발령 이후 교단에서 설레고 떨리는 마음으로 만났던 학생들이 성장하여 지금은 결혼하여 아들, 혹은 딸을 중학교에 보내기도 했을 겁니다. 시간이 많이 지났지만 33년 전 옛날의 풋풋하고 설레던 마음이 아직도 가슴속에 남아있을 우리 선생님! 그런데 오늘은 그 마음을 가슴속에 담아두고 새로운 마음으로 다른 세상으로 나아가시는 멋진 선생님!

명퇴, 명예 퇴임, 명예로운 퇴임식….

축하드립니다. 긴 세월 동안 수고 많으셨습니다. 참으로 장하십니다.

첫 발령 이후로 지금까지 보낸 많은 시간들을 기억하시겠지요. 스승의날, 예쁜 카네이션을 받으면서 학생들 앞에서 고맙다는 인사를 쑥스럽게 하였던 일도, 체육대회 때 학급 아이들과 우리 반 이겨라 크게 소리치고 손뼉 치며 운동장을 함께 뛰던 좋은 기억도 있겠지요. 학교 다니기 어려운 환경 때문에 마음 아파하는 학급 학생 등을 두드려 주며 함께 울먹이던 마음 아팠던 날 도 있었을테지요.

선생님의 마음속에 남아있는 자랑스러운 기억은 무엇일까 새삼 궁금하네요. 첫 발령 받아 임지로 떠날 때의 가슴 설레던 기억을 오늘 이 자리에서 떠 올리면 선생님은 어떤 느낌이실까요. 제 가슴이 먹먹해집니다. 이별 이란 게 이런 건가요. 오늘이 지나면 선생님은 아침 일찍 일어나 출근 준비 안 하고 다른 생활이 있겠지요.

이런 저런 생각을 하다 보니 이 자리가 참으로 영광스럽게 만들어진 자리임을 깨달으며 선생님 얼굴을 한 번 더 보게 되네요. 선생님의 영광스럽고 뜻깊은 명예로운 퇴임을 후배로서 마음 모아 축하드립니다. 교사로서의 긴 시간은 마무리 하시지만 선생님에게는 더 멋있고 우아한 사회인으로의 생활이 기다리고 있겠지요. 학교에서 열심히 보냈던 그 시간을 이제는 선생님 내면의 발전과 세상을 위해 봉사하면서 지내겠다고 하였으니 우리는 또 다른 모습으로 달라진 선생님을 기대합니다. 무엇보다 선생님 건강하고 행복하세요. 더 웃을 일 많고, 자랑할 일 많이많이 전해 주셔서 선생님 뒤 따라 가는 우리 후배 교사들에게 힘이 되어 주세요.

더위가 끝나고 가을이 시작될 즈음에 시장에 나오는 연두색 사과를 보게 되면 우리는 선생님을 더 많이 기억할 것입니다. 주말에 시골 과수원에서 직접 농사지은 한 보따리 초록 사과, 붉은 사과를 가져와 나눠 먹게 해 주던 넉넉한 선생님을 생각하면 이야기 할 것입니다. 선생님의 마음과 웃음을 떠올리면서 우리는 선생님을 그리워하게 될 것입니다.

학생들은 또 그들대로 새로운 선생님을 만나서 재미난 이야기를 하다가 선생님과의 수업을 기억하면서 그리워할 것이고요. 이러한 우리의 그리움을 선생님에게 가끔 전할게요. 그때마다 우리가 기억하고 있음을 알아주세요. 보고 싶어지면 전화로라도 안부를 물어보면서 선생님과 함께 한 시간을 그리워하겠지요.

꼭 건강하고 행복하세요. 만나면 헤어짐이 인지상정이라지만 우리 후배들은 선생님을 보내면서 남은 시간 더 열심히 학교에서 학생들과 성실하게 마주할 것을 약속하겠습니다. 선생님 그동안 정말 많은 수업 열심히 하셨습니다. 수고하셨습니다. 고맙습니다. 꼭 건강하세요. 가족과 함께 많이 행복하세요. 우리 후배 교사들은 많이 당신을 그리워 할 것입니다.

새 학기 첫 수업

새 학기 첫 수업에 내 소개를 하면서 시작을 하려 준비하였다. 어떤 이야기를 해줘야 아이들 눈동자를 살아나게 할 수 있을까를 생각하며 이런 저런 준비를 한 후 교실에 들어섰다. 중학교 막 입학하여 잔뜩 긴장해 있는 아이들에게 여기는 초등학교와 다른 곳이다, 3년을 지나고 나면 너희들은 엄청나게 달라져서 또 다른 세상으로 나아갈 수 있음을 이야기하며 희망을 전해 주고 싶다. 그때였다. "선생님은 왜 과학선생님이 되셨어요?" 하고 한 학생이 질문을 한다.

자주 듣는 물음이지만 이럴 때 어린 학생들에게 대답을 한다는 건 항상 조심스럽다. 혹 내 한마디를 듣고, 본인의 희망에 대해서도 깊이 생각해 볼 수 있는 학생이 있을 수 있기 때문이다. 조심스럽게 이야기하기 위해 숨을 고른다. 기억들이 스쳐 지나간다.

중학교 2학년 교생선생님이 떠오른다. 40여 년이 지났기 때문에 그때 선생님의 모습은 잘 기억나지 않는다. 키 큰 멋진 남자 선생님이었다는 정도만 생각나는데 우리에게 해주신 말씀은 생생하게 기억난다. 실험실에서 에탄올을 증류하고, 색소와 향료를 조합하여 자기만의 소주를 만들어 마셨다는 거다. 신기하고 대단한 쇼크였다. 저렇게 신나고 재미난 세계가 실험실에 있다. 나도 저 세계로 들어가서 해보고 싶다는 생각이 들었다. 그러면서 "세상 사람들은 경험해 보지 못한 나 혼자 만의 무언가를 만들어 낼 수 있는 곳이 실험실이다."라고 교생선생님은 이야기 해 주었다. 그게 시작이었다. 나는 과학을 좋아하게 되었고, 실험실에서 하얀 가운을 입고 비이커와 스포이트를 갖고 살아가는 멋진 생활에 대한 꿈을 갖게 되었다.

고등학교에 진학하여 대입원서를 쓰기 위한 적성검사를 하니 인문계 진로가 나왔고 담임 선생님은 국어교육과가 좋겠다고 하였다. 하지만 나는 고개를 흔들며 "아니요. 난 화학공학과를 가고 싶어요."라고 대답했다. 선생님과 몇 번의 상담을 한 후, 난 적성검사 결과를 뒤로하고 취업을 고려하여 공대가 아닌 사범대 과학교육과를 선택하게 되었다.

만약 중학생 때 그 교생선생님을 만나지 않았다면, 선생님이 수업하는 그 시간에 양호실에 가서 누워 있었다면 난 실험실에의 동경을 꿈 꿀 수 있었을까? 그 시간의 만남이 있었기에 과학을 공부하겠다는 꿈을 갖게 된 것이라는 생각을 지금도 한다. 이것이 계기가 되어 난 지금도 매시간 마다의 만남을 소중하게 여기고 마음을 다해 만남을 이어가는 생활을 해야 한다고 지금까지 생각하며 지내고 있다.

나는 학생들에게 말을 이어갔다. "한순간 한순간의 만남이 소중하게 이어지고, 연결되어 너희들이 어른으로 성장해 가는 것이다. 그러니 지금 이 순간 나하고 이야기하는 시간도 매우 소중하게 생각해야 된다."라고 말한다. 만나는 이 시간에 집중해서 성의를 다해 앞에 있는 타인을 마주해야 한다. 이러한 만남과 만남이 이어져 너희들 인생의 긴 인연을 쌓아가는 것이니 오늘 하루를 열심히 살아야 된다고 강조한다. 이런 이야기로 새 학기 첫 수업을 마무리한 후 교실을 나선다. 교실에 남아 있는 학생들의 웅성거림이 뒤에서 들려온다. 서로 이야기하면서 학교는 시험 보러 오는 지겹고 짜증나는 곳이 아니고 꿈을 만들고, 가꾸어가는 재미나고, 신나는 곳으로 생각되기를 바란다. 내 이 바람을 이루기 위해 나는 오늘도 교과서를 뒤적이면서 눈동자를 반짝이게 할 수업을 준비하고 있다.

이들 중 누구는 먼 후일 또 다른 교실에서 내 이야기를 해주며 새 학기를 시작하는 교사가 생길 수도 있으리라고 생각하니 미소가 절로 나온다. 오늘 밤 저 학생들은 어떤 꿈을 꾸면서 하루를 마무리할까 궁금하고 기대된다. 나하고 1년 수업을 하고 마무리하는 날에는 오늘 내게서 들은 말을 누군가는 기억해 주기를 바라는 소박한 꿈을 꾸어본다.

나의 배움은

작년 가을부터 몇몇 교사들과 책 읽는 교사모임을 만들어서 수업 변화를 위한 안내 책을 이것저것 읽고 있다. 한 권, 한 권의 책을 읽어 나갈 때마다 '그래 정말 난 지금껏 나 혼자의 수업을 하였지, 아이들과 함께하는 수업을 진행하지는 못했어.'라는 생각을 하게 되었다. 지금 나와 독서 모임을 함께하는 교사들은 학생들과 눈 맞추고 싶어 하지만 그러지 못하는 현실에 나처럼 힘들어하고 해결 방법을 찾으려 하다가 함께 모임을 만들었고 같이 공부하면서 하소연하는 과정에서 조금씩 길을 찾아 변해가려 노력하고 있다.

이번에 함께 읽은 책은 일본의 '사토마나부'라는 교육학자가 '한국 배움의 공동체 연구회' 교사들과 함께 엮은 책이다. 배움에서 소외되는 학생이 없는 교실, 모두가 함께 배우는 교실. 내가 정말 바라고 원하는 그런 교실을 만들 수 있다면 늦었지만 나도 해보고 싶다는 생각이 들었다. 책을 읽어 나가면서 나는 내 수업을 반성하게 되었다. 학생들에게 많이 생각하게 하고 많이 말하게 하고 느끼게 한다는 이상은 나와 같은데 방법이 다르다는 것을 깨우치게 되었다. '서로 이야기하는 것과 서로 배우는 것은 다르다.' '교사가 필요 없는 말을 줄이고 정선된 말을 정중하게 쓰면 아이들과 배우는 관계가 형성된다.' 라는 글귀들을 읽으면서 그동안 나와는 참 많이 동떨어진 말들이었다는 것을 반성하고 이제부터라도 학생들과 눈높이를 맞추며 같이 이야기하고, 듣고, 생각하면서 내가 수업하는 교실을 변화시키고 싶다는 마음을 갖게 되었다.

'교사의 배움'이라는 책을 읽으면서 나는 어떤 배우려는 마음을 갖고 있는가를 생각하게 되었다. 지금까지 교단에서 수업을 진행하면서 나는 배우는 사람이 아니고 가르치는 사람이라는 생각이 머릿속에 가득 차 있었고 어떤 면에선 학생들에게 군림하는 자세는 아니었는지 반성도 해본다.

사범대를 졸업하고 교단에 들어선 지 벌써 30년을 바라보고 있다. 나는 학생들에게, 학부형들에게 그리고 같이 근무하는 동료 교사들에게 어떤 선생이었을까를 돌이켜보게 되었다. 수업을 하는 교실에서는 학생들의 말을 들어주고 이해하는 교사라기보다 내가 알고 있고 교과서에 나와 있는 과학 지식을 더 많이 전해 주어야 한다는 생각에 내 이야기를 많이 하기에 급급했었는데 '교사의 배움'이라는 책을 보면서는 그게 아니라는 반성에 고개가 숙여진다. 학부모들에게는 잘 웃어주고 이야기 들어주다 보면 대하기 어렵지 않고 접근하기 편해서 좋다는 이야기를 들은 적이 있었다. 그리고 동료 교사들은 어떨까 궁금하기는 하다.

소란스러운 교실에서 내 목소리를 전달해야겠다는 욕심에 난 더 크게 이야기해야 했고 그러다가는 후두염 진단을 받아 이비인후과 약을 달고 지내던 지난날이 떠오른다. 하다하다 안 되어서 몇 명의 선생님들과 휴대용 마이크를 공동구매하여 교실에 들고 다니면서 10여 년간 수업을 해 오고 있었다. 그러다가 이 책에 나와 있는 배움의 공동체 수업에 대하여 공부하면서 내 목소리를 낮추면 아이들의 집중력이 오히려 좋아진다는 것을 알게 되고, 그동안 사용하던 마이크를 내려놓았다. 물론 학급당 인원수가 예전에 40명에서 24명으로 줄어든 세종시 교육 정책 덕분에 더 많이 학생들에게 다가갈 수 있게 된 것도 목소리를 낮추어 수업을 할 수 있게 도와주었다. 마이크를 놓고 들어간 교실에서 조용히 당부도 하였다. 마이크를 사용하지 않고 수업을 진행하는 것은 앞으로 너희들 이야기를 더 많이 듣고 함께 이야기하고 싶은 마음이 크니 너희들이 도와달라고 간절히 부탁하였다.

그 덕인지 학생들은 내 이야기를 잘 들어 주고 옆에 있는 친구와도 많이 대화하는 것 같다. 예전에는 학생 활동을 시켜도 시큰둥하였었는데 이제는 고개 숙이고 연필을 들고 각자의 생각을 정리해 나가는 쪽으로 변화된 모습을 보이기도 한다. 학기가 끝나가는 데도 난 아직 후두염이 재발하지 않았다.

수업이 끝난 오후, 모임을 함께하는 선생님들과 빈 교실에 모여서 서로 읽은 책, 바뀐 수업 진행을 이야기하며 '내 수업은 어떻게 변화시켜야 하나?' 하고 고민하는 내가 좋다. 무너지지 않고 포기하지 않고 있다는 것이 좋고, 여러 책 속에 있는, 나를 격려하는 많은 문장들을 기억하면서 학생들과 눈 맞추고 지내다 보면 정말 함께 배우는 교실을 만들 수 있지 않을까 기대해본다. 그날이 언젠가는 오겠지…. 기다리면서 포기하지 않고 하루하루 나아가다 보면 내 수업도, 학생들도 달라지면서 우리는 함께 성장해 나가는 멋진 사람이 될 수 있지 않을까, 하는 생각에 가슴 두근거리는 요즘이 좋다.

배움의 공동체 수업을 보고

몇 년 전부터 나는 '어떻게 하면 아이들과 즐겁고 행복한 수업을 운영할 수 있을까.' 하며 그 방법에 대하여 고민하고 있었다. 나름대로 방안을 찾기 위해 노력하던 중 나와 생각이 비슷한 몇몇 선생님들과 대화하게 됐다. 우리는 혼자 고민하는 것 보다는 모여서 함께하는 것이 좋겠다는 생각을 해서 '책 읽는 교사 모임' 동아리를 만들었다. 이렇게 만들어진 모임에서는 매월 관련된 책을 읽고 소감을 발표 하기로 했다. 우리보다 먼저 학생들과의 교실 수업 개선을 위해 노력했던 교사들의 경험담을 적어놓은 책을 읽으며 반성하며 공감하곤 한다. 우리의 수업에 대하여 더 깊이 고민하던 중에 '혁신학교'라는 새로운 가치관을 갖고 '배움의 공동체' 수업 방식을 도입하여 학생들과 관계 맺기에 거의 성공했다는 모델의 경기도에 있는 중학교를 방문하게 되었다.

교문을 들어서는데 눈에 보이는 밝은 표정의 아이들이 또래들과 어울려 귀가하는 모습은 우리 학교 학생들과 별반 다르지 않았다. 그 학교에서는 매주 수요일을 수업 공개의 날로 정했단다. 이날은 전교생 중 수업을 공개하는 한 반 만 남고 다른 학생들은 5교시 수업 후 일찍 귀가한단다.

그런데 놀라운 일을 발견했다. 생활지도가 잘 되어있다고 하는 이 학교 학생들의 교복 스커트 길이가 너무 짧았다. 교복을 입은 모습이 우리 학교 아이들보다 더 정리되지 않고 어수선하였다. 무릎 위로 한 뼘씩은 올라간 스커트는 몸에 너무 밀착되어 터지기 직전처럼 아슬아슬하여 나를 불안하게 하였다. 교복 상의는 너무 몸에 꽉 끼어서 단추를 제대로 채울 수도 없었다. 우리와 다른 것은 교사와 학교가 그것을 문제 삼지 않고 자연스럽게 인정해 주는 듯한 분위기였다. 그러니 학생들과 아침 등교 시 교문 앞에서부터 언성을 높이지 않고 교사와 학생이 서로 안아주면서 교문맞이를 할 수 있나 보다. 배워서 우리 학교에도 도입하고 싶다.

꼭 지켜야 할 것을 스스로 인식하여 지키게 하는 대신에 수업이나 생활지도에 반드시 필요하지 않은데 예전부터 그저 이어져 오는 규정들은 과감히 정리해나가고 있다고 들었다. 학생들 숨통이 트일 것 같다. 이러한 것이 우리가 배워야 할 내용 중 하나이다.

같이 간 우리 학교 선생님들과 수업이 공개되는 교실로 올라갔다. 그런데 전국에서 참관 온 너무 많은 교사들을 보고 다시 놀랐다. 한 반에 학생은 22명인데 수업하는 모습을 지켜보는 교사들은 어림잡아 100명이 훌쩍 넘는 듯 했다. 역사 수업인데 학생들은 4명씩 모둠을 이루어 수업을 교사와 함께하고 있었다.

참관자들은 학생들의 수업을 방해하지 않으려 모두 노력하지만 그 많은 사람들이 학생들 주변으로 다가가 노트도, 학습지도 한 번씩 보려니 그 자체가 방해인 것은 아닌가 생각이 들었다. 그래서 마음 한편으로는 학생들에게 미안했다.

아이들이 10여 년쯤 지나 성인이 되면 오늘 일은 어떻게 기억할까. 수업내용은 기억하지 못하고 '사람들이 참 많이 왔었다. 교실 여기저기에 참관하러 온 선생님들이 왔다 갔다 하여 어수선하였다.' 로 기억한다면 '누가 미안해야 하지?'라는 생각을 잠시 해 보았다. 참관자인가? 수업 공개한 교사인가? 학교관리자인가? 나의 이런 상념은 나만의 생각인 듯 학생들은 외부요인을 신경 쓰지 않고 옆 친구들과 상의하고 정리하고 열심히들 수업에 참여하고 있었다. 이렇게 친구들을 배려하면서 수업에 열심인 학생들이 부러웠다. 엎드려 자는 아이도 없었다. 서로 챙겨주는 모습과 모두 참여하려 노력하는 모습을 보면서 내 수업과 많이 비교되었다.

우리 학교 대부분의 교실 수업에는 엎드려 있는 학생, 멍 때리며 창밖 보는 학생 등 다양한 모습의 여러 학생이 있다. 하지만 예전처럼 교사가 이 학생들을 제지할 방법이 마땅히 없다. 요즘의 교실은 교사의 수업권보다는, 학생의 인권, 수업권이 더 중요하다고 한다. 이론적으로 본다면 수업하기 싫은 학생도 인정을 해야 한단다. 그 학생이 수업에 참여하고 싶은 생각이 들지 않게 수업 진행하는 교사의 책임이란다. 이 부분은 아직 해결하지 못한 내 과제이다.

내 생각에서 벗어나 다시 수업 참관에 집중하였다. 아이들에게 적절한 과제를 내 준 다음 교사는 교실을 순회하면서 각 모둠을 관찰하면서 흐름을 조정하고 있었다. 이때 어느 모둠에서 본 수업의 주제에서 벗어나려 하니 아주 작은 목소리로 잠깐 모둠과 함께하며 교사의 생각을 더해주면서 전체로 돌아오기를 하고 있다. 멋있는 모습이었다. 교사가 저렇게 교실을 컨트롤하고 있다니, 내 모습과 많이 대조되는 것 같아 순간 부끄러워졌지만 내색은 안했다. 그저 마음으로 되새기며 새로운 수업 방법을 내 수업에 도입하는 노력을 하겠다는 다짐을 한다.

수업 종료 후 수업 컨설팅 협의회를 했다. 참관한 많은 교사가 본 수업에서 좋았던 점, 배운 점을 이야기하면서 서로 격려하는 시간을 갖고 돌아왔다. 돌아오는 차 안에서 동행했던 교사들은 먼 길 여행이 정말 보람 있었음에 모두 동의하였다. 그리고는 우리 학교에서도 이 분위기가 정착되어 학생들, 교사, 학부모 모두가 행복한 학교로 조금씩 변해 가는 데 힘을 보태자고 우리끼리 손을 잡았다.

몇 명이 만든 교사모임이 발전하여 다른 교사에게 영향을 주고, 학생들이 달라진다면 얼마나 좋을까. 학교가 지겨운 곳이 아니라 재미있는 곳으로 변하려면 내가 먼저 달라져야 한다는 것을 우리 교사 하나하나는 새삼 인식하게 되었다. 노력할 것이다. 더 많이 공부하고 서로의 고민을 눈 맞추고 함께 이야기하면서 신명 나는 우리 학교를 만들 수 있기를 바란다.

과학실 수업

종소리와 함께 수업을 시작한다. 교실에서 과학실로 온 1학년 아이들은 수업을 바로 시작하기가 사실 어렵다. 특별한 변수가 없는 평온한 날이라도 어수선한 거 정리하고, 실험 테이블 정리하고, 겨우 본 수업을 시작할 수 있게 된다. 학교를 옮기고 와 보니 이 학교에서는 과학 시간에 실험을 지도할 보조교사를 교육청에서 주 1시간 지원해준다. 전에 있던 학교에서는 없었던 일이라 좋다. 덕분에 학생들은 1주에 1회는 실험실에서 실험 기구를 만지며 교과서 수업을 할 수 있다. 교실에서 교과서와 기자재만을 이용하여 수업할 때보다 만족도가 높아진다. 나도 좋다.

실험을 같이 하면서 학생들 이름을 한 번이라도 더 부를 수 있고 활동지가 정리되어 있는 정도도 직접 수시로 확인하면서 점검할 수 있다.

오늘은 여러 가지 거울을 갖고 실험을 한다. 말로만 듣던 평면거울, 오목거울, 볼록거울과 각 모둠 별로 오늘 실험하기 위하여 선생님이 찰흙으로 직접 만든 모형이 배부된다. 제일 신기한 건 오목

거울이다. 이 거울을 얼굴에 가까이 대고 보면 괴물 같이 커진 입술이 불뚝한 내 모습이 보인다. 이 모습에 아이들은 한 번씩 놀라면서 수업에 흥미를 갖고 열심히 참여하게 된다.

이어서 선생님이 나눠 준 모형을 거울에 가까이 놓고 관찰되는 상의 모습을 보고, 다음에는 거울을 이 만큼 멀리 놓은 다음 좀 전과 어떤 차인가 있는지를 비교하면서 개인별로 활동지를 정리한다. 이때에는 옆 친구와 얼마든지 의견을 교환할 수 있다. 함께 배우고 함께 성장하는 교실을 만드는 것이 요즘 학교의 변화라고 한다. 수업하는 방법도 교사 위주에서 학생 중심으로 많이 바뀌어 가고 있다. 이 변화에 나도 따라가기 위해서 열심히 연수도 참여하고 연구회 가입도 하고 관련 보고서, 책 등을 동료 교사와 함께 읽으며 배워가고 있다.

퇴직이 얼마나 남았다고 새삼스레 20년 넘게 하던 수업을 바꿀까, 하는 생각이 없는 것도 아니지만 그래도 해 보고 싶다. 아이들이 눈 반짝이며 나를 쳐다보고 질문하는 교실을 만들어 보고 싶다. 벌써 이 공부가 5년을 넘었지만 내 수업이 바뀌었다고 자랑은 못한다. 예전보다 더 많이 아이들 활동을 시키려고 많이 노력할 뿐이다. 그리고 더 존중해주려고 말조심을 한다. 내가 의식하지 않은 한마디에 마음 아파하지 않도록 주의하고 신경 쓴다. 혹 내가 말실수를 했다면 수업이 끝난 후라도 나를 찾아와 "선생님께서 아까 하신 말 때문에 저 속상하고 마음 아파요."라고 말할 수 있기를 바라면서 편안한 분위기를 만들려 신경 쓴다. 선생님 때문에 속상했다면 나에게 해명할 시간을 줘서 미움으로 변해가지 않도록 하자고 수업 시간에 자주 얘기한다.

같은 물체를 거울을 바꿔서 보면 아까 보았던 모양과는 다른 모양의 상이 보인다. 아이들은 더 열심히 보게 된다. 간혹 거울이 깨질 때도 있다. 그러면 또 얘기한다. 장난하다 거울이 깨지면 많이 혼나고 잔소리 듣지만 실험 열심히 하다 깨지는 건 괜찮으니 손이나 다치지 말라고 오히려 위로해 준다. 이렇게 달라졌다. 거울이 깨진 현상은 같지만 원인에 따라서 교사의 반응이 전혀 다르게 나온다. 아이들도 좋아한다. "선생님 다음부터 주의 할 게요." 소리가 절로 나온다. 깨진 유리조각 정리도 말끔하게 스스로 한 다음 쓰레기통에 버릴 때도 함부로 버리지 않고 종이로 여러 번 말아서 버리는 배려를 할 수 있다. 내 실수로 인해 다른 사람이 다치면 안 된다는 마음을 더 배우게 되는 것이다. 서로의 마음을 알아주기에 가능한 일이다. 소리 지르지 않고, 윽박지르지 않고 조용하지만 수업은 알차게 진행되는 교실이 된다면 좋겠다.

세 가지 다른 거울을 갖고 변화의 차이를 발견하고 정리한 다음, 이제 우리 주변에서 이 거울이 사용되는 예를 다음 교실 수업에서 교과서를 보면서 정리할 것이다. 아이들은 이번 주 부모나 친구와 마트에 가면 벽에 드문드문 걸려있는 거울을 다시 보면서 이것이 볼록거울이고 몇 개의 거울이 마트 모든 부분을 살펴볼 수 있음을 알게 될 것이다. 이렇게 교실 속 과학이 일상생활과 연결되는 것을 직접 보고 과학수업과 생활이 연결되어 있음을 알게 되면서 수업의 필요성을 인식하고 더 열심히 참여하여 배우고 성장하기를 바란다.

혈액검사

서둘러 퇴근을 하고 병원으로 향했다. 얼마 전 부터 너무 피곤하고 지치는 몸이 영 이상해서다. 요즘 부쩍 피곤하고 가슴이 뛰며 체중이 빠지는 것이 예전에 진단 받았던 갑상선 항진증이 의심되었기 때문이다. 아니길 바랐다. 정말 아니길 바라는 간절한 마음으로 가서 의사를 만나고 사정을 이야기 하였더니 두 손을 앞으로 들어 보란다. 손끝이 파르르 떨리는 것이 내 눈에도 보였다. 의사는 이어 맥을 짚어 본다. 검사를 해봐야 알겠지만 제발한 것 같단다. 이어 약을 처방해준다. 지긋지긋한 '갑상선 항진증'…. 원인도 특별히 없다. 장기간 힘들고 많이 신경 쓸 일이 있어서 감정을 상하면 이렇게 재발한다. 지금까지 몇 번을 재발한 건지. 다른 사람들은 잘 견디어 낸다는데 왜 나만 이렇게 못난 건지 알 수가 없다.

검사 결과 이번에도 재발이다. 정도가 예전보다 심하단다. 처방해준 알약의 숫자가 많다. 아침, 저녁 열심히 먹으란다. 그래 먹으면 되지. 먹다 보면 가슴 떨림도, 손 떨림도 줄어들고 내려간 체중도 돌아오겠지. 지금 상황이야 힘들어 죽겠지만 이번에도 병가를 낼 수는 없다. 쉬면서 몸을 회복하고 싶다고 이야기하면 의사에게서 병가 진단서를 받을 순 있을 것 같긴 하다. 그런데 그러고 싶지 않다. 많이 힘들지만 견디어 내고 싶다. 그래야 한다. 지금껏 직장생활하면서 병가를 여러 번 냈다. 남들은 평생에 한 번도 안 내는 사람이 많은데 난 벌써 몇 번의 병가를 냈었다. 매번 안 내고 견디어 보려다 병을 키워서 도저히 견딜 수 없을 만큼 힘들면 내곤 했었다. 학교에서도 내 상황을 지켜본 사람들은 모두 수긍해주었지만 당사자인 난 아니었다. 죄스럽고, 미안하고, 학생들에게는 창피하기 까지 했다.

힘든 하루하루를 보내면서 약을 먹은 지 이제 한 달이다. 가슴 떨리는 것도 많이 줄었고, 아침 출근할 때 차 안에서 졸면서 운전하던 것도 멈추었다. 조금만 잘하면, 약을 빼먹지 않고 열심히 먹으면 다시 정상으로 돌아올 수 있을 것 같은 희망이 보인다. 이번만큼은 학교에 아쉬운 소리 안 하고 이 병을 이겨내기를 바랄 뿐이다.

혈액검사!

의학, 과학의 발달로 팔에서 뽑아낸 적은 양의 혈액이 내 건강 상태를 말해주는 지표가 되었다니 그저 감사할 뿐이다.

혈액은 혈관을 따라 쉬지 않고 온몸을 돌면서 각 장기에 영양분을 공급하고 노폐물을 회수해 버리게 해 주는 고마운 액체이다. 거기다가 혈액 속에 들어 있는 미량의 호르몬은 내 자율신경의 원활한 활동을 조절해주는 역할을 하고 있다. 그 호르몬 검사를 위해서 병원에 가 혈액을 채취한 것이다. 호르몬은 정상적으로 필요한 양이 양적으로는 아주 적지만 이게 너무 많으면 과다증, 적으면 결핍증 등 각종 병이 나는 것을 보면서 인체의 신비를 실감하게 된다.

얼마 전까지만 해도 4월 '과학의날'에는 과학과 선생님들과 협력하여 원하는 학생들에게 혈액형 검사를 해 주기도 했다. 손가락 끝을 바늘로 찔러 한 방울의 피를 뽑아 슬라이드 글라스에 각각 떨어뜨린 다음 노란색, 파란색 두 가지의 혈청를 넣어보면 각 혈액형별로 응집반응이 정말 신기하게 나타난다. 이 응집 반응의 형태가 각기 다르기 때문에 우리를 이를 보고 A형. B형. O형. AB형을 판정할 수가 있다. 그런데 언제부턴가 개인 정보가 중요하다고 하면서 부모의 동의 없이는 이를 할 수가 없게 되었다. 세월의 변화에 학교 교육도 따라가야 되는 씁쓸한 현실을 받아들이고 이제는 혈액형 검사를 하지는 않는다. 아주 간단한 작업으로 사람을 이렇게 4종류로 나눌 수 있는 것 또한 혈액이 우리에게 주는 중요한 정보이다. 한 방울의 피로 유전 관계를 알 수 있게 하였다니 신은 인간을 정말 신비롭게 창조한 것이다. 이와 같은 원리로 얼마간의 피를 뽑아 내 혈액 속에 포함되어있는 갑상선 호르몬의 양을 검사하여 한 달 전에 재발한 갑상선 항진증이 치료 되었는가를 알아보는 것이다.

병원에서 한 검사 결과를 기다리면서 우선은 예전대로 약을 처방받았다. 결과는 이틀 후에 나온단다. 요즘은 밤에 깨지 않고 아침까지 자기도 한다. 그리고 퇴근할 때 다리에 쥐가 나지도 않는다. 아마도 내 혈관에 흐르는 혈액 속에서 호르몬이 적절히 몸의 기능을 조절해 주고 있나 보다.

몸이 좋아졌다면 한 1년간은 약의 양을 조절하면서 계속 검사를 하고 예후를 관찰하다가 약 복용을 중지할 수 있다. 그럼 이번에 발병한 '갑상선항진증' 치료가 끝나는 것이다. 적어도 앞으로 1년은 조심하면서 경과를 지켜볼 일이다.

달의 언어

"선생님, 달이 크게 떠 있는 하늘이 정말 높아요! 명수에게 전화해서 지금 같이 달을 보자고 했어요." 대학생이 된 수호가 보낸 카톡 내용이다. 찬 밤하늘에 높이 떠 있는 달을 보면서 예전에 숙제하던 생각이 난 모양이다. '한랭 건조' 하다는 우리나라 겨울 날씨 표현이 딱 맞는 요즘이라 달이 더 높게 보인다.

수호는 중학교 3학년 때 담임했던 제자다. 그해 가을 나는 '같은 시간, 같은 장소에서 달 관찰하기'란 제목의 관찰일지 수행평가를 내준 적이 있었다. 방법은 하루 동안 달의 모양과 크기, 달이 떠 있는 위치가 달라지는 현상을 일주일간 관찰하여 매일매일 기록하고, 최종 소감을 작성하여 제출하는 것이다. 그 숙제를 받자 처음에는 감을 못 잡겠다, 어렵다, 왜 이런 걸해요? 하고 학생들이 불만을 했었다. "한번 해봐, 해보면 왜 이런 숙제를 하는지 알게 될 거야. 불만이 있으면 보고서 말미에 '이 숙제를 마친 후'란에 소감문으로 적어 내면 돼." 하고 나는 말했다.

이 숙제를 내줄 때 '내가 그의 이름을 불러 주었을 때 그는 나에게로 와서 꽃이 된다. ….(중략)'라고 노래한 김춘수님의 '꽃'이란 시를 읽어주었다. 이처럼 모양이 매일 변하고 어디에서나 볼 수 있어서 큰 관심거리가 되지 못할 수 있는 달에게 나 혼자만의 특별한 이름을 붙여 의미를 부여해 보라는 거다. 무심히 지나칠 수 있는 일상들이지만 마음을 담아 관찰하고 의미를 부여하면 특별한 무엇이 되듯, 학생들도 달을 관찰하면서 달에게서 나만의 의미를 찾기 바라는 마음에서 낸 과제이다.

우리가 살아가는 세상도 이와 비슷하다. 관심을 가지고 정성껏 대하면 상대방에게도 내가 특별한 존재로 남게 된다. 이때부터는 내가 세상의 중심이 될 수 있다는 설명을 덧붙이곤 했다. "어제 본 달과 오늘 보는 달이 같은 달이지만 어제보다 오늘은 모양이 조금 더 커졌고, 달이 지구를 공전한 만큼 위치도 달라져 있는 것을 보게 된다."라고 설명을 하며 수업을 하였다. 학생들은 달을 관찰하고 관찰일지를 작성하면서 교과서 안의 과학이 생활과 밀접하게 연결되어 있음을 각자 확인하며 수업 시간에 더 집중할 수 있게 됐다.

"달은 점점 커져가다 어느 순간 보이지 않게 되고, 한 달이 지나면 다시 지난달의 그 모습으로 나타나 밝은 빛을 밝힌다. 그렇게 46억 년 전부터 지금까지 반복하여 지구를 공전한단다." 라고 이야기하면 학생들은 크기가 작은 달이 지구와 나이가 같다는 사실에 "아!"하는 감탄사를 내기도 했다. 사람들은 이런 달에게 각자의 생각대로 이런저런 의미를 부여하면서 달을 보며 슬퍼하기도 하고 기뻐하기도 한다.

옛날 우리 조상들은 달에는 방아 찧는 토끼가 살고 있다고 이야기했는데 현재의 과학은 달의 산은 태양 빛을 많이 받아 흰색으로 빛나고 달의 바다는 태양 빛을 적게 받아서 어둡게 보이는 것이라는 사실을 알게 되었다.

그런데 우리 조상들은 왜 하필 떡방아였을까? 아마도 그건 항상 배고픔에 힘들어하던 가난한 서민들이 달을 보면서라도 삶에 희망을 놓지 않고, 힘든 세상을 견디게 하는 힘을 얻고자 했던 것은 아닐까라는 생각을 해본다.

나는 학생들에게 이렇게 설명을 다시 해 주었었다.

"조상들이 달을 보며 희망을 기원했듯이 여러분들이 1주일간 관심을 갖고 달을 관찰한 기억을 간직하기를 바란다. 그래서 나중에 많이 힘들 때 하늘을 한 번 더 쳐다볼 수 있기를 바란다. 달을 보면서 중학생 때의 순수하고 때 묻지 않았던 자기의 모습을 떠올리면 좋겠다. 그 기억을 발판삼아 세상을 건강하게 살아갈 힘을 얻기를 바라는 마음이다." 하고 말했다.

밤하늘에 떠 있는 높고 둥그런 달을 보면서 '나도 세상을 밝게 하는 빛과 같은 사람이 되어야겠다.'는 생각을 학생들이 할 수 있으면 된다. 친구와 다툰 날은 하늘에서 빛나는 달이 한 달 만에 다시 둥근 보름달이 되는 것을 기억하고 화해했으면 좋겠다. 학생 시절 관찰일지를 함께 작성하면서 느낀 즐거운 기억이 있으니 삶이 좀 더 여유롭고 넉넉해질 수 있지 않을까 생각한다.

일주일이 지나서 관찰일지를 받아보면 참으로 다양한 이야기들이 적혀있다. 내 나름의 기준을 세우고 분류하여 수행평가 점수를 주지만, 제출한 학생들 대부분이 점수보다 더 소중한 것을 이미 얻었다는 것을 안다. 이만하면 숙제는 성공이다. '선생님 모양이 조금씩 달라지는데 그게 신기하고요, 나도 달라질 수 있을 것이란 생각이 들었어요!'라고 쓴 학생에겐 '큰일을 했구나, 네가 어른이 되면 이번 기억을 되살리며 친구와 이야기할 수 있기를 바란다.'라고 댓글을 달아준다. '하루하루 변해가는 달이 너무 예뻐서 한참을 보는데 눈물이 나와서 당황했어요.'라고 쓴 소감문엔 '그 감정을 한참 생각하고 정리하면 멋진 시가 될 수 있겠네, 대단한데!'라는 댓글도 달아주었다.

수업을 하다 보면 교사와 학생 모두 지치고 힘들 때가 많다. 그렇지만 오늘처럼 반가운 문자를 받거나 다른 경로를 통하여 잘 성장해가는 제자들의 이야기를 듣게 될 때는 마음 가득히 자부심이 생긴다. 학교에서 지식을 배우는 것도 중요하지만 더 중요한 것은 세상을 살아갈 때 겸손하게 남을 배려하면서 더불어 살아가는 지혜를 배우는 것이므로 학생들에게 이런 내 마음을 주려 노력한다.

'선생님 달이 사라졌어요!' 수호의 카톡 문자가 한참 시간이 지나 다시 도착했다. '서쪽 지평선 아래로 내려간 거야. 괜찮아, 내일 저녁엔 오늘보다 커져서 다시 나올거야. 우리 희망도 그렇게 오는 거란다.'라고 답장을 해 준다.

밤하늘의 달빛을 '희망'이라는 언어로 바꾸는 힘을 갖게 된 제자가 세상에 또 하나의 다른 빛으로 변하여 살아가는 어른이 된 것을 알고 고맙고 감사한 마음으로 보낸 저녁 시간이었다.

함께 마시는 차 / 친절 되갚기 / 가을의 기억 / 이틀간의 행복했던 꿈

내가 끓인 호박죽 / 목요일의 아이 / 내 맘의 봄 / 친구

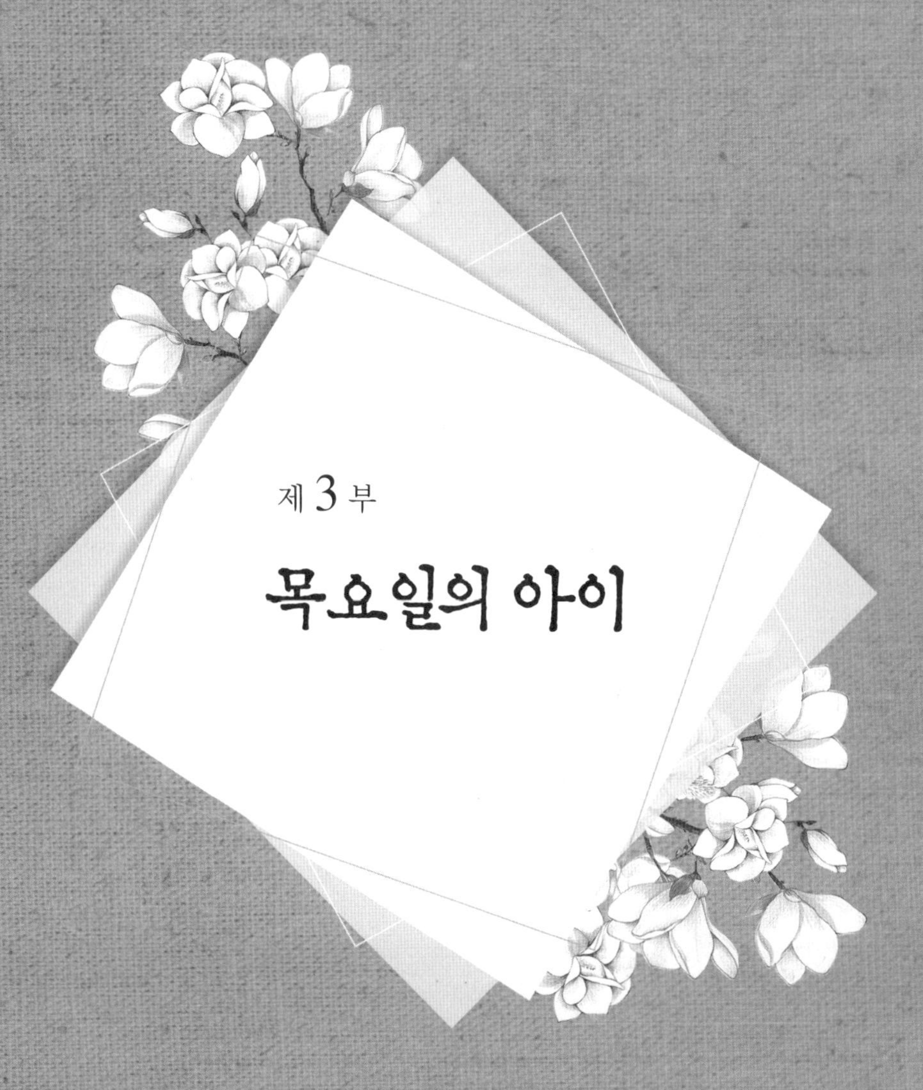

제 3 부

목요일의 아이

함께 마시는 차

휴일을 맞아 친구들과 상당산성 길을 걷기로 약속을 하고 어린이회관 주차장에서 만나기로 했다. 약속한 시간 보다 일찍 도착하여 주차장에 차를 세운 후 친구들을 기다리는데 차 한 대가 들어온다. 그런데 차에서 내리는 분이 전에 같이 근무하다가 명예퇴직한 선생님이신 거다. 얼른 달려가 인사를 하였다. 서로 반가운 마음에 손을 잡고 인사를 나누는데 "그때 아침마다 선생님이 타다 준 커피 잘 마셨지, 가끔 생각이 나요, 참 고마웠어요," 하고 말씀하신다. 세상에…. 내가 마실 것을 준비하면서 나보다 어른이신 선생님에게 한잔 더 타서 준 것 뿐인데…. 그런데 받은 선생님은 커피 한잔 이상의 고마움이었다고 하신다. 그러면서 오랜 시간이 지난 지금까지 좋은 기억으로 남아 있단다.

나는 지금도 아침에 교무실에서 차를 마실 때면 주변에 있는 직원들에게 같이 마실 것을 권하고 있다. 내 권함에 응하면 한잔 혹은 두잔 더 준비하여 함께 마시면서 대부분의 하루를 시작하고 있다. 내가 주변 사람에게 차를 함께 마시자고 하는 것은 그저 일상이다. 만약 그 행동이 윗사람에게 잘 보이려는 의도된 행동이라면 정말 치사하고 멋없는 일일 것이다. 그랬다면 타인에게 차를 권하는 것이 이처럼 오랫동안 지속 되지도 않았을 것이다. 요즘의 젊은 선생님들은 그러한 내 모습을 이상한 사심을 갖고 하는 것으로 오해하기도 한다. 누구는 평등에 반하는 행동이라며 반감을 표시할 때도 있다. 요즘은 교무실 업무를 도와주는 행정사에게도 차 심부름을 시키지 못하게 하고 각자의 차는 자기가 준비하여 마시라 하고 있다. 이러다 보니 외부에서 학교에 손님이 오면 교감 선생님이 직접 차를 준비하고 있는 경우가 많다. 그런 상황을 보면 그 시간에 특별히 바쁘지 않다면 내가 차를 준비하여 대접하기도 한다. 이러한 내 모습에 교감 선생님은 고맙다고 인사를 한다. 누가 차를 준비하든 그것은 문제가 되지 않는다고 나는 생각한다. 윗사람, 아랫사람 가리지 않고 시간 여유가 되면 할 수 있다는 생각이다. 특별한 의미를 왜 두는 건지 안타깝다.

작은 것을 나눌 때 정이 쌓여 가는 것을, 누구에게 잘 보여 남보다 좋은 평가를 받아야 한다는 생각에 교무실에서조차 차 한 잔 편히 마실 수 없다면 우리네 사는 모습이 너무 각박하잖은가. 요양원에 계신 친정아버지도 말씀하신 적이 있다. 교사로 근무하실 때 출근하여 들어간 교무실에서 누군가가 건네주는 아침 커피 한잔이 무척 기분 좋았고 그 덕에 하루가 즐거웠단다. 아버지가 다른 사람 덕에 기쁜 마음으로 하루를 출발할 수 있었던 것처럼 내가 타준 차를 마시고 누군가가 하루를 즐겁게 시작할 수 있다면 참 즐거운 일이 아닌가.

이제 한 해가 지나가고 있다. 새해에 교무실에서 난 또 누구와 이웃하며 자리를 하게 될지 모른다. 난 그 사람에게도 내가 마시는 차를 권하여 함께 마시고 웃으며 하루를 시작할 거다. 나처럼 하는 것을 낯설어하는 다른 선생님들에게도 주변의 선생님, 어른, 친구들과 웃으면서 함께 차 마시는 시간 갖기를 당부할 것이다.

짧은 시간이지만 함께 차를 마시면서 교실에서 일어난 힘들었던 일을 하소연하면 비슷한 경험을 한 동료가 그 어려움을 해결해나갔던 이야기를 해주면서 다독거려 줄 수도 있을 것이다. 이렇게 함께 차 한 잔 마시는 시간이, 어렵다고 하는 우리교무실 분위기를 바꾸어 갈 수 있다면 좋겠다. 작은 것을 함께 나누면 점차 더 많은 어려움을 이야기하고 도와주는 친밀한 관계를 형성할 수 있지 않을까. 조금씩 너그럽고 여유로워진다면 교무실은 더 웃음 많고 편안한 공간이 될 수 있다. 움츠러든 어깨를 활짝 펼 수 있는 힘을 주는 작은 출발을 함께 마시는 따뜻하고 정이 든 차 속에서 찾고 싶다.

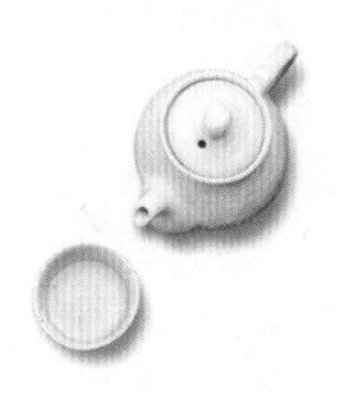

친절 되갚기

1주일 동안 제주도로 연수 갈 기회가 왔다. 연수 내용이 내 전공인 과학과는 거리가 있는 '전국 교원 4·3 직무연수'라 하여 다소 생소하였지만 망설임 없이 신청하였다. 일정을 자세히 보니 연수 일정이 오후 4시면 끝나게 잡혀있었다. 한 주간 제주에 머물면서 오후 시간을 여기저기 구경하고, 걸어보며 시간을 보내면 좋겠다는 생각이 들었다.

가족의 동의를 얻고, 비행기 표를 예약하고, 큰딸의 도움을 받으며 머물 숙소를 구하였다. 나에게는 다소 생소하지만 인터넷을 이용하여 여기저기 검색을 하면서 내 조건에 맞는 숙소를 예약한다는 것이 낯설지만 설레는 경험이었다.

출발하기 한 달 전부터 가슴이 뛰었다.

어디를 어떻게 여행하는 것이 가장 즐거운 선택이 될까? 나름 계획을 잡고 친구에게 이야기하면 다른 조언이 들어와 마음이 변하기를 몇 번 하면서 신나는 제주여행과 연수 계획을 세웠다.

결론을 이야기 하자면 제주연수는 기대 그 이상이었다. 이번 연수에서 '4.3 항쟁'의 진실을 알고 많이 놀랐다. 이 시대에 정부에 의한 자국민 학살사건이 있었다는 사실에 놀라고 무섭기까지 하였다. 민간인이 학살된 마을을 가 보았다. 거기에는 참담한 진실이 고스란히 남아있었다.

전국에서 온 40여 명의 교사들은 거의 나와 비슷한 마음이었던 것 같다. 수업 중에는 모두 슬픔과 관심을 함께하며 열심히 강의에 참여하였다. 연수가 끝나고 오후의 일정은 자유시간이다.

강의가 종료된 후에는 일정에 쫓겨 바쁘게 스쳐 가는 관광을 하는 게 아니고, 대상 하나하나에 눈을 주고 자세히 서로 이야기하면서 제주를 가슴에 담는 관광을 하였다. 고맙게도 이 관광에 제주도 현직 교사들이 안내를 자원해주었다. 내 시간을 남을 위해 사용한다는 것이 얼마나 큰마음인가를 알기에 받는 우리의 고마움은 더욱 컸다. 재단에서 제공하는 점심을 함께 먹다 보면 오후의 일정이 몇 가지 제시된다. 연수생들이 자기가 가고 싶은 곳을 친한 사람들과 함께하기로 하면, 제주 선생님들은 현지인의 눈으로 외지인에게 소개해주는 제주명소를 자기 차에 태워 즐겁게 안내해준다.

저녁 시간이 되면 음식을 맛있게 해주는 요란하지 않은 식당도 안내해주고…. 사실 우리가 가장 좋아한 시간이 편안한 맘으로 향기 좋은 차를 마시며 이야기하는 이 시간이 아니었던가 생각도 해본다. 서로 다른 사람들이지만 공통의 관심사를 편안한 분위기에서 이야기하다 보면 일상에서는 생각지 못한 사고의 변화도 생기게 되고 사람들은 점점 넉넉하고 여유로워지는 게 아닐까? 마음이 열렸으니 상대방의 생각이 잘못되었다고 극구 반대할 것이 없다. 한 발짝 뒤로 물러서서 양보하면 된다. 그리고 돌아서서 다른 시간에 다시 생각은 해보겠지만 그 자리에서 얼굴 붉힐 일은 안 생긴다. 나와는 다른 사람들의 이 생각, 저 생각을 내 맘으로 받아들이니 내 맘은 더 넓어진다. 지혜도 깊어진다.

이렇게 일주일을 제주에서 보내고 돌아오니 얼마 동안은 만나는 사람들에게 나도 더 많이 친절을 베풀게 되었다. 우선 마주 대하는 사람들에게 많이 웃어주게 된다. 2학기가 시작되고 얼마 후 두 명의 선생님이 우리학교 공개수업에 제주에서 참관하러 오게 되는 일이 생겼다. 함께 수업을 보고 서로 소감을 얘기한 뒤 제주로 돌아가기 위해 공항으로 가야 된다고 하였다. 마침 그날 퇴근 후 내 일정에 여유도 있었지만 난 아무 조건 없이 그 두 사람을 공항까지 태워다 주었다. 공항까지 택시를 타려 했던 선생님들은 뜻밖의 내 제안에 폐를 끼치는 것 같아 머뭇거리다가 진심이 담긴 내 눈을 마주하고는 고맙다고 말하며 내 차에 탔다. 차 안에서 이런저런 얘기를 하다가 내가 제주에서 받은 친절을 나도 갚는 것이라고 했더니 공감해주었다. 내 맘을 받아주는 그들이 나도 고마웠다.

내가 받은 여름의 고마운 기억을 당사자에게 직접 돌려줄 수는 없지만 나도 누군가에게 이렇게 따뜻함을 나누어 줄 수 있어서 행복하다. 공항에서 내릴 때 전화번호를 물어보는 그들에게 정중히 사양했다. 우리가 다시 만나기는 어려울 것이니 다른 사람들에게 이 고마움을 갚아주라고 했더니, 고맙다는 말을 연거푸 한다. 그러면 되는 것이다.

가을의 기억

평생교육원 수업을 듣기 위해 학교 교문을 들어서는데 개교기념일 축하 현수막이 눈에 들어온다. 문득 대학교 4학년 때의 개교기념일이 생각나 그때의 기억을 회상하며 미소 짓는다. 맑은 가을날 학교 수업은 모두 휴강이 되었지만 나는 가방을 들고 학교에 와서 친구를 만났다. 둘이 놀 방법을 한참 생각하다가 가방과 책은 실험실에 두고 그저 웃고 떠들다 시내버스정류장으로 왔다. 오창 방향 버스가 도착하자 우리는 눈으로 사인을 주고받은 뒤 올라탔다.

평소에도 시간이 나고 날씨가 좋으면 우리는 아무 버스나 타고 가다가 마음 닿는 곳에서 내려 걷고, 예쁜 경치가 나오면 누구 눈치 볼 것 없이 근처에 편하게 앉아 주변 경치 보며 이야기하다가 지치면 학교로 돌아오곤 했었다. 우리는 수시로 대청댐에도 가고, 그 당시는 멀게 느껴졌던 강서 가로수길을 걷다가 인근 초등학교 운동장 벤치에 앉아있다 오곤 하였다. 둘일 때도 있지만 어떤 때는 서너 명이 함께하면 웃음이 끊이지 않고 이야기가 이어지던 유쾌

한 시간 나들이었다.

그날은 오근장역을 조금 지나 '팔결다리'라고 불리던 곳에서 내렸다. 멀리서 보이는 가을 갈대가 햇살에 하얗게 윤이 나면서 눈이 부셨기 때문이다. 미처 다 피지 않았지만 가을 햇빛을 받아서 은색으로 얌전하게 고개 숙이고 살랑살랑 흔들리는 모습에 우리 둘의 마음이 통했었나 보다.

버스에서 내려 조금 냇가로 들어가니 갈대가 손에 닿는다. 그냥 코도 대어보고 얼굴에 갈대를 문질러 보기도 하면서 웃고 뭔가를 이야기하다가 누가 먼저 시작했는지 하나씩 갈대를 꺾기 시작했다. 워낙 지천으로 널려 있었기에 금새 부드러운 갈대가 팔에 가득 모아졌다. 지금 생각해도 이상한 건 그렇게 갈대를 꺾는 것이 자연을 훼손한다는 느낌은 안 들고 그저 자연이 우리에게 나누어 준 축복을 친구와 함께 누린다는 행복한 기분이었다.

처음 아무 생각 없이 하나씩 꺾어 모은 갈대가 이만큼 많아지고 나니 '이걸 어쩌지?' 하는 생각이 들었다. 그냥 그곳에 두고 올 수는 없고 둘이 나누어 집으로 가져가자니 우리가 모아놓은 갈대가 상당히 많고….

누가 먼저 이야기했는지 일단 학교로 가져가 생각해 보기로 하였다. 다 큰 여학생이 가슴 가득 갈대를 품에 안고 버스에 오르니 모두들 쳐다본다. 다른 사람이 우리를 보는 시선이 각기 다르긴 했어도 우리는 우리의 가을 수확이 그래도 좋기만 했다. 실험실에 들고 온 갈대로 무얼 할까 생각하다가 교수님들 연구실에 꽃처럼 꽂아 놓는 것이 좋겠다는 생각했다. 그분들께 가을을 선물해 주자는 마음이었다. 우리 수업을 담당하던 교수님들의 연구실에 가져다 드리려고 우리가 가져온 갈대를 다섯 묶음으로 나누었다.

각방 연구실 열쇠를 어떻게 구했는지 기억은 안 나는데 실험실에 있던 삼각플라스크를 꽃병 삼아 갈대를 담아서 연구실마다 배달하였다. 우리 지도교수님께는 커피까지 얻어 마실 수 있었다. "교수님!" 하고 부르며 문을 노크하고 들어가니 깜짝 놀라면서도 우리를 반가이 맞아주시던 교수님 모습이 생각이 난다. "이 사람들 공부는 안 하고 또 뭔 일여?" 하시면서도 "어여와, 그런데 이건 다 뭐야?" 하는 물음에 우리는 교수님께 우리가 드리는 가을 선물이라고 수다를 떨면서 연구실 소파에 앉아 이런저런 이야기로 셋이 한참 시간을 보냈다. 인사를 하고 연구실을 나와서는 친구와 함께 다시 저녁 운동장에 나와 하던 이야기를 더하면서 한밤이 되어서야 집으로 돌아갔다.

가을이 되면 그때 그냥 좋아서 연구실 가득 갈대를 가져다 놓았던 우리의 맘이 참 예쁘고 착했었다는 이야기를 두고두고 친구와 하곤 했다. 그 친구와 지난 일요일에는 상당산성에 갔었다. 주차장에 차를 놓고 산책로를 걷다가 사람들이 별로 가지 않는 샛길로 빠져 버렸다. 사람 발길이 별로 없는 길을 가다 보니 여기저기 밤들이 떨어져 있다. 하나씩 하나씩 길 위에 떨어진 밤을 줍다 보니 그것도 꽤 된다. 가방은 차에 있고 주운 밤을 둘 데가 없어 고민하다가 머리에 쓴 모자를 벗었다. 햇빛이 얼굴에 좀 들어도 밤을 담을 그릇이 생겼다는 사실이 좋아서 마음 놓고 둘이 숲을 헤집고 다니면서 밤을 주었다.

학교 다닐 때는 갈대를 같이 꺾었던 친구와 오랜 시간이 지나 일요일을 같이 보내면서 추억을 이야기하며 웃는다. 이렇게 오랜 시간 만날 수 있는 친구가 곁에 있어 좋다. 지금까지 오랜 시간 같이 가을을 나누고 시간을 나누고 기억을 공유하면서 지낸 것처럼 앞으로도 우리의 만남을 이어나갈 수 있기를 어딘가에 있는 신에게 기도해본다. 오늘 퇴근하고 집으로 돌아가서는 잠자기 전에 "뭐하니? 잘 자."라고 문자라도 한 번 더 넣어야겠다.

이틀간의 행복했던 꿈

'다문화 가정 대상 국가와의 교사교류 사업' 공문을 보고 한참을 고민했다. 참가하고 싶은데 4개월간 집을 떠난다는 것이 가능할까? 영어가 안 되는데 괜히 망신만 당하는 건 아닌가? 하면서 움츠러들었다. 그때 최근에 읽은 책 내용이 생각났다.「용기를 내지 못해 행동하지 못하고 헛된 꿈만 꾸는 건 어리석은 일」이라는 문장이 나를 자극했다. 마치 내 이야기인 듯 들렸다. 항상 '○○것이 하고 싶어, 그런데 하지 못했어.' 그런 한탄만하고 한숨만 쉬는 일이 참 많았기 때문이다.

핑계가 매번 있기는 하였다. 가정을 돌봐야 했고, 요양원에 계신 친정아버님이 기다리시고, 출근하면 밀린 일이 있었고 ….

언제부턴가는 '○이 하고 싶다가 아니고, ○를 하고 싶어서 했어.'라고 이야기하는 삶을 살고 싶다는 생각을 하게 되었다. 하지만 막상 생각을 행동으로 옮기는 것은 쉬운 일이 아니었다. 그동안 생활에서 난 늘 뒷전 이었다. 그러고 보니 남이 못하게 해서 못하는 것이 아니라 스스로 미리 포기하는 게 문제라고 말한 누군가의 그 말이 나를 두고 한 말이었다.

'그래, 이번엔 꼭 도전해 보자.'하는 열망으로 가슴이 설레고 두근거렸다. 우선 교감선생님께 공문 내용을 말씀드리며 응시하고 싶다고 말씀드리니 선뜻 허락하시고는 교장선생님께도 이야기 해 주셨다. 일단 학교에서 거의 승낙을 받았으니 준비를 시작했다.

시작하기로 마음먹으니 준비할 것이 많았다. 자기소개서, 수업지도안을 각각 국문과 영문으로 작성해야 했다. 젊은 영어 선생님의 도움을 받고, 동료 과학 선생님과 함께 수업지도안을 만들었다. 그런데 가족이 문제다. 두 딸에게는 말했지만 정작 남편에게는 쉽게 말이 안 나왔다. 4개월간 혼자서 집을 떠나 낯선 나라에 가겠다는 말을 한다는 것이 쉬운 일은 아니었다. 서류접수 후 1주일이 지나자 면접 보러 오라는 공문을 받았다. 얼마나 좋았는지 모른다. 1차 서류 합격이니 두 발짝은 뛴 셈이다. 이제 마지막 관문이 두 과정 남았다. 하나는 남편에게 그간의 과정을 이야기하는 것이고, 또 하나의 어려운 과정은 면접이다. 다행히 남편은 웃으며 동의를 해줬다. 이미 가기로 마음먹었으니 열심히 준비하라면서 주말에 한의원에 가서 약을 지어 먹고 몸을 챙기라는 격려까지 해주었다.

돌이켜 보니 내가 하고 싶은 일을 하려고 이렇게 뭔가를 열심히 준비했던 기억이 없다.

이제 남은 것은 면접이다. 한국어 면접이야 어떻게든 넘어갈 수 있으련마는 영어는 영 자신이 없다. 그런데 다행히도 영어는 제출한 수업지도 안 내용을 간단하게 시연하는 것이라 했다. 옆 선생님의 도움을 받아 가면서 열심히 준비하였다. 가슴 떨리는 이틀을 보냈다. 반 페이지 정도의 내용을 영어로 작성하여 외우고 또 외우고, 집에 와서도 반복하여 연습을 했다. 주말에도 집에서 딸을 앞에 세워 놓고 면접관이라 생각하며 연습을 하였다.

월요일 학교에 출근해서 교무실을 들어가니 다들 응원해주고 준비를 도와준다고 하는 말을 들으니 더 용기가 나고 꼭 가고 싶은 마음이 이만큼 커졌다. 면접 전날 잠자리에 들기 전 휴대폰의 초시계를 켜고 한 번 더 반복하여 연습을 하니 살포시 입가에 미소가 지어졌다. 이렇게 나를 위해 열심히 준비하는 모습이 스스로 대견하고 기특하다는 생각이 들었다.

드디어 면접날이다. 서울로 가는 발걸음은 긴장도 되고 맘은 떨리기도 하였지만 그저 즐거웠다. 뭔가 될 것 같았으니까. 걱정했던 남편도 쉽게 동의를 해주었고, 여러 선생님들도 한 맘으로 응원해주니 통과할 것 같은 기대감이 생겼다. 이게 정말 하고 싶은 일인가 다시 생각해보았다. 마음 저 밑에서 '이제 너도 네 것을 찾아봐. 매번 이게 아니라고 웅석부리지 말고 세상을 향해서 소리칠 것은 치고, 후회하지는 마.' 이런 소리가 들리는 것 같았다. 어깨를 펴고 내딛는 발걸음에 절로 힘이 들어갔다.

하지만 막상 면접장에 들어갈 때는 주눅이 들었다. 한국어 답변은 해냈는데 그것으로 끝나는 게 아니었다. 세상에 영어로 즉문즉답을 하란다. 내가 그렇게 열심히 외웠던 수업 내용은 입 밖으로 내어보지도 못하고 안 되는 단어 몇 개를 중얼거리다 웃음으로 얼버무려야 했다.

그래도 위안이 되었던 내용은 면접 말미에 면접관이 일곱 명 응시자들에게 이 중에서 대표로 삼고 싶은 사람이 누구냐고 질문했다. 그 질문에 지원자 중 3명이 나를 지목하는 거다. 아마도 나이가 가장 많아 보여서 그랬나 보다. 영어를 망쳤지만 나를 대표로 삼고 싶다는 것이 위안이 되었다. 하지만 상처는 남았다. 그렇게 설레면서 열심히 준비했는데 이렇게 허망하게 끝나다니….

1주일 뒤에 결과 발표가 나겠지만 영어가 너무 안 되었으니 떨어져도 괜찮다. 결과를 순순히 인정하고 받아들일 수 있다. 이번 도전에서 내가 너무 현실을 모르는 우물 안 개구리였다는 사실과 함께 많은 걸 배웠다. 하지만 '나도 해보고 싶다.'를 '나도 해봤다.'로 말할 수 있는 일이 생겼다는 것은 내게 의미 있는 경험이다. '세상에 대해서 억울할 일이 줄어들었다.'는 것만으로도 이번 도전에서 나는 커다란 소득을 얻은 것이다.

내가 끓인 호박죽

남들은 가을을 설렘으로 맞는데 나는 피곤함과 지친 몸으로 맞고 있다. 하루를 마감하는 오후가 되면 너무나도 힘이 들어 다른 일을 할 엄두가 나지 않는다. 몸은 지치고 까라지는데 머리는 반대로 맛있는 음식을 먹고 싶은 생각으로 가득 찬다. 달콤하고 시원한 음식이 자꾸만 스쳐 지나간다. 딸기 아이스크림, 차고 시원한 냉장고 속 과일, 제과점의 달콤하고 부드러운 티라미슈 케이크 등….

토요일 오후도 이런저런 먹거리들을 생각하면서 있는데 예전에 엄마가 해 주었던 호박죽이 떠올랐다. '그래 이거면 내가 직접 해서 먹어야지.' 기운 없다고 쳐져 있던 몸과 마음에 갑자기 생기가 돈다. 얼마 전 친구에게서 가을에 딴 늙은 호박을 두통 얻어다 베란다에 가져다 둔 생각이 났다. 여러 가지 죽을 좋아해서 자주 해 먹는 음식 중 하나가 호박죽이다. 두 딸은 고개를 흔들며 싫다고 한다. 젊어서인지 죽을 즐기지 않는다. 그래도 가끔 전복이나 새우를 다져서 참기름에 볶다가 충분히 물에 담가두었던 쌀과 함께 끓여 주면 따뜻할 땐 맛있게 먹기도 한다. 물론 한 번 먹은 뒤 남은 죽을 끝까지 먹는 것은 항상 내 몫이 되지만 말이다.

지금까지는 호박죽을 끓일 때 호박을 내가 손질하지 않고 친정어머니나 시어머니가 토막 내고 껍질과 속을 정리하여 주신 것을 냉동실에 두었다 사용했었다. 이번에는 친구 집에서 얻어온 호박을 내가 손질하여야 했다. 처음 별생각 없이 부엌칼을 호박에 대었다. 그런데 이게 웬일! '어?' 하는 소리가 절로 나왔다. 세상에! 이렇게 단단할 수가 없다. 예전에 엄마가 "호박을 잡아야지." 하던 말이 무슨 뜻인지 이제 알게 되었다. 봄, 여름 밥반찬으로 조리해 먹던 초록색의 호박은 부드러워 칼질이 쉬웠는데, 햇살을 충분히 받고 뜨거운 여름을 이겨낸 주황색의 반질반질한 호박은 정말 단단했다. 속의 부드러움을 숨기기 위하여 이렇게도 단단한 껍질이 필요했나 보다. 쉽게 생각했던 처음과는 달리 싱크대에서 식탁으로 옮겨 두 손으로 힘껏 힘을 주어 호박을 잘게 조각내어 속은 버리고 이제는 잘 드는 과도를 찾아 껍질을 까기 시작했다.

한참을 호박과 씨름하고 있는 내 모습이 안쓰러운지 작은딸이 중얼 거리듯 말한다. "호박죽을 먹고 싶은 다른 사람들은 죽 집에 가서 사다 먹지 엄마처럼 힘들이고 땀 흘리며 직접 하지 않거든요?" 나는 딸에게 예전에 외할머니가 해서 함께 먹던 죽 이야기를 들려주었다. 이야기를 다 듣고 난 딸은 "엄마는 죽을 먹고 싶은 것이 아니고 지금 몸이 힘드니까 외할머니가 보고 싶은 거야."라고 말하는 목소리엔 안타까움이 함께 들어있다.

문득 눈물이 핑 돌았다. 그래 지금 엄마가, 내 엄마가 옆에 있어서 힘들다고 하소연할 수 있었으면 좋겠다는 생각이 간절해졌다. 보고 싶다 우리 엄마…. 호박을 손질하다 말고 엄마에게 전화를 했다. 내가 지금 호박죽을 끓이기 위해 호박을 손질하고 있다고 하니 엄마는 "힘들게 그걸 네가 하니 집에 오면 해 줄 텐데."하고 말씀하신다. 엄마에게 나는 아직도 아무것도 할 줄 몰라 엄마가 모든 걸 보살펴 주어야 하는 어린 딸인가 보다. 외손녀가 시집갈 나이가 되었다는 것은 생각하지도 않으시고. 호박을 손질하여 냄비에 넣고 끓이며 물에 불린 찹쌀을 갈고, 냉동실에 얼려 둔 삶은 팥을 꺼내어 죽을 쑤었다. 끓으며 퍽퍽 튀어 오르는 죽을 주걱으로 휘휘 저으면서 엄마와 시어머니 생각을 해 본다. 저렇게 단단한 호박을 당신이 먹기 위해서가 아니라 나를 위해 정성껏 손질해서 우리 집에 가져다주던 두 어머니의 마음이 나를 찡하게 했다. 두 어머니가 내게 베풀어 준 사랑과 정성을 나는 두 딸에게 잘 전해 주고 있나 하는 생각도 해 본다.

내 딴에는 알맞게 끓인 죽을 딸과 함께 먹기 시작했다. 그런데 엄마가 해 주던 맛이 아니다. 좀 싱겁고 밋밋하다. 그래도 팔이 아프고 어깨가 뻐근해지도록 열심히 한 죽이니 많이 먹어야지. 먹고 힘든 몸을 다시 정상으로 회복시켜서 내일 일요일은 기운차게 대청소라도 해야겠다. 이번 주말은 저 죽만을 먹으면서 지내야겠다는 생각을 한다. 내가 기대한 맛은 아니어도 내가 엄마를 생각하면서 열심히 만든 것이니까. 내년에 다시 죽을 끓일 때는 엄마가 해 주던 맛에 조금 더 다가갈 수 있기를 기대해 본다.

목요일의 아이

여학생 때 읽었던 녹색 문고 시리즈 중에 '목요일의 아이'라는 김민숙 작가가 쓴 하이틴 소설이 있다. 하도 오래된 이야기인지라 자세한 내용이 생각나지 않고 책 속의 주인공이 중학생이었는지 고등학생이었는지 가물가물하다. 하지만 아직도 두 주인공이 임형빈, 이가은, 이었다는 것은 생각난다. 새삼스레 이들의 이야기를 하는 것은 오늘 같이 하늘이 높고, 날씨 청명한 목요일 아침이면 그때 책 속에 들어있던 시 구절이 생각나면서 발걸음이 가벼워지기 때문이다. 정확하게 기억나지 않는 구절을 완성하기 위해 인터넷을 뒤져 찾아냈다.

"월요일에 태어난 아이는 예쁘고 / 화요일에 태어난 아이는 착하고
수요일에 태어난 아이는 우울하고 / 목요일에 태어난 아이는 여행을 떠나고
금요일에 태어난 아이는 매력적이고 / 토요일에 태어난 아이는 고생하고
귀엽고 명랑하고 마음씨가 고운 건 일요일에 태어난 아이"

월, 화, 수, 목, 금, 토, 일, 각각 태어난 요일에 따라 각 아이의 특징을 적어놓은 구절이 있었다. 그런데 일주일 중 유독 내 맘을 끌었던 것은 목요일이었다. 책 속의 여자주인공 '이가은', 그 아이는 여행을 떠난다는 목요일에 태어났다. 나는 고생한다는 토요일에 태어났는데….

그 당시 '내 이름은 마야', '목요일의 아이' 등등의 책들을 한수산, 박범신, 김민숙 등의 작가가 하이틴로맨스라는 이름으로 책을 내었었다. 우리가 다니는 학교는 이른 아침 0교시부터 야간자율학습까지 학생을 대입, 고입 준비에 몰아넣고, 단단한 틀에 가두어뒀기 때문에 학생들은 어디 숨 돌릴 틈이 없었다. 그런 과정 속에서 다른 세상에 살고 있는 같은 또래는 선망의 대상이었다. 책 속의 주인공들과의 만남은 답답한 우리의 일상을 벗어나게 해주는 탈출구가 되어주기에 충분했다. 주인공들은 감히 우리가 상상도 할 수 없었던 이성과의 만남을 가졌었고, 악기를 다루고, 그림을 그리는 취미생활을 하였고, 외국 여행을 다녀왔고 ….

우리는 우리의 꽉 막혀 답답한 생활을 그들의 모습에 이입하여 비슷한 꿈을 꾸며 잠시라도 마음 편한 여유를 누릴 수 있었다. 그들의 전혀 다른 생활 모습을 그리워하면서 책을 같이 본 친구들끼리는 불평도 하고, 투정도 하였지만 이러한 투정은 책을 읽은 사람끼리만 가능했던 작은 특권과 자부심이었음도 부정하지는 못한다. 지금도 화창한 날의 목요일 아침이면 집을 나서는 발걸음이 여행을 떠나는 듯 가벼워질 수 있음은 그때 읽었던 책 덕분이고 그리고 그때의 기억을 되살리면서 잊고 지냈지만 마음속에 담아두었던 친구들을 찾게 된다.

오늘도 카톡에 그 당시 같은 책을 찾아서 함께 보던 친구 몇 명을 초대하여 "얘들아 생각나니?"하고 글을 썼더니 서울서 교직에 있는 친구는 "못 살아. 우째 이런걸 기억할 수 있겠어?"하고, 남편이 사업을 하며 서울에서 살림하는 다른 친구는 "아직도 그런 생각하면서 어떻게 사니? 서울 오면 연락해." 하면서 정신 차리라고 한다. 이렇게 지금 살고 있는 모습은 다르더라도 핑계가 생겼다고 서로의 안부를 물을 수 있는 것은 책과 그 책에 얽힌 우리만의 기억 덕분이 아닌가 한다. 함께한 기억이 있는 친구 정말 좋은 관계 아닐까.

오늘은 카톡이나 안부 전화만으로는 만족하지 못한 아쉬움에 컴퓨터를 켜고 '목요일의 아이'라 자판을 누르고 검색 버튼을 눌러보았다. 그런데 나는 아직도 많은 것을 기억하고 있는데 인터넷조차도 다 잊어버렸나보다, 영 다른 이야기들뿐이다. 다음에서 검색이 안 되어 네이버로 검색엔진을 바꾸었더니 아주 작은 흔적들이 조금씩 남아있기는 하다. 그들의 흔적을 같이 따라가 보니 아련한 기억이 조금씩 조각을 맞추어 가긴 하는데 완전해지지는 않는다. 그래도 없어진 것은 아니다. 하지만 많이들 잊고 사나보다 그저 하루하루 살아가기에만도 모두가 바쁜가 보다. 나는 그때 기억의 끈이 있어 오늘처럼 맑은 날 하늘을 쳐다보며 그 시절을 그리워하고 있는데….

우리는 오늘 많은 것을 잊고 살지만 잊지 않고 기억하는 것이 서로 다르기 때문에 우리들의 삶의 모습이 각기 다른 모습으로 나타나는 것이라는 생각을 하면서 기억을 정리한다.

내 맘의 봄

오늘 예정 되었던 회식이 갑자기 최소 되었다. 아침에 출근하면서 집에서 기다릴 두 딸에게 오늘 저녁은 엄마가 늦으니 이러이러하게 먹으라고 먹을 것을 준비해놓고 나왔기 때문인지 갑자기 자유를 얻은 듯한 황홀한 기분이다. 이 귀하게 언어진 시간을 오로지 나만을 위하여 써야할 것 같은 의무감과 행복한 기분에 미소가 절로 나왔다.

우선 친구에게 전화를 걸었다. 나 시간 있으니 같이 놀자고….

어느 정도 예상은 했지만 거절의 목소리를 듣고는 약간 김이 빠졌다. 직장과 가정에 매어있다 보니 갑자기 시간을 내어 나와 함께 하기는 어려운 처지임을 내가 잘 알기에 서운하지는 않았다. 그래도 포기하지 않고 나만의 시간을 보낼 또 다른 궁리를 하다가, '그럼 나만의 사치를 즐기면 되지?'라는 생각이 들었다.

꽃바람과 함께 싸늘하게, 그래도 정신은 멀쩡하게, 하늘을 즐기면서 이 시간을 사용하리라. 머릿속은 이런 생각으로 가득한 채 퇴근과 함께 운전대를 잡고 교문을 씩씩하게 그러나 우아하고 여유롭게 나아갔다.

그렇게도 마음속으로만 그렸던 곳으로 행선지를 정하고 벚꽃 화사하게 핀 무심천 둑을 따라서 대청댐으로 향했다. 그 물이 보고 싶어서, 흐르는 그 물을 보면서 마음속에서 흘러 내 보내야 할 것들이 있다면 이런 기회에 내보내고 내 맘속을 투명하게 만들고 돌아와야겠다는 생각이 들어서였다. 그리고 하늘을 보고 싶어서. 거칠 것 없는 파아란 하늘을 보고 싶어서…. 그래서 가는 것이다.

혼자 가는 차 안이 조금 쓸쓸하기는 했지만 나 혼자만의 호사라는 생각으로 마음에는 기쁨과 우쭐함이 동시에 들어앉아 있었다. 어쨌거나 많이 행복했다. 대청댐 전망대에서 멀리 보이는 잔물결과 내 머리와 볼에 다가 온 그 찬바람은 내 바람대로 세상의 많은 일들로 가득 찬 머리와 맘을 자꾸 비워 내어 조금씩 나를 가볍게 만들어 주는 듯했다. 두 팔을 머리 위로 쭉 뻗어 올리고, 발뒤꿈치를 들어 올리고 숨을 크게 들이 마셔본다. 찬 공기로 가슴속이 가득 채워진다. 속이 시원해 졌다. 찬 공기가 들어간 머리가 순간 띵해지는 느낌이 이제 중심을 잡고 나를 찾으라고 다그치는 것처럼 느껴졌다. 이제 더 앞으로 나아가지 말고 차분해지자 생각하며 숨을 천천히 내 쉬었다.

그리고 나 혼자지만 해냈다는 혼자서라도 이렇게 봄을 맞이할 수 있었다는 그 생각이, 이제 답답하다는 꽉 막혔다는 그런 것들을 이겨 낼 힘을 주었다. 기특하다고 내게 칭찬을 해 준다. 이제 이 봄 마무리할 힘도 생긴다.

길가의 벚꽃에 더하여 이제 막 봉오리 터트리는 야산의 진달래도 보았다. 진하지 않은 분홍색이 나뭇잎도 없는 곳에서 수줍게 피어나고 있는 그 봉오리 하나하나가 내 가슴에서 같이 피어오르고 있는 희망처럼 느껴져서 가슴이 뛰었다. 더 보고 싶어서 그 모습을 더 눈에 담아두고 싶어서 오는 길은 간 길이 아닌 다른 길로 돌아서 왔다. 더 조용하고 차들이 더 없는 곳을 택하여, 천천히 집으로 돌아오면서 이런 봄 저녁 시간을 혼자서 보낸 나에게 감사한다.

나는 없고, 내 주변만 있다는 억울하다는 생각, 손해 본다는 생각, 이제 마음속에 있던 이러한 억울함에서 벗어날 수 있을 것 같다. 나도 나를 위해 세상을 살고, 내 시간을 내가 소유할 수 있다는 자신감이 생겨나며, 내 하루하루를 더 열심히 살아야지 하는 겸손함도 생겨난다.

갑자기 생긴 시간을 정말 행복하게 보내고 나니 세상에 대해 가졌던 억울함은 작아지고 고맙고 감사한 마음과 그리고 내일은 더 열심히 소중하게 내 생활을 해 나가야지 하는 작은 결심이 선다.

내일부터는 얼굴 표정도 밝아지고 만나는 많은 사람들에게 더 많이 웃어 줄 수 있을 것 같다. 아마도 이건 그저 묵묵히 흘러가는 물과 스쳐 지나가는 바람이 준 힘이 아닐까한다.

친구

과학실 청소를 지도하는데 한 학생이 자기들끼리 서로 다툼이 생겼음을 하소연한다. 어제 오후 한 학생이 얼굴 붉히고 있던 모습을 보았지만 큰일 아닌 것 같기에 그냥 보낸 일이 있긴 했다. 관심을 가지고 들어보니 다섯 명 중 두 명은 일찍 와서 청소하고, 세 명이 늦게 오는 것이 일찍 온 학생들의 불만이란다. 어른인 내 입장에선 나도 모르게 웃음이 먼저 나왔다. 그랬더니 학생들은 중요하다고 생각하여 내게 도움을 요청했는데 웃으면서 반응하는 내 모습에 서운하다고 눈물까지 글썽이는 거다.

학부모가 이 소리를 들었다면 선생이 내 귀한 딸 아픈 마음을 몰라주어서 눈물을 흘렸다며 얼마나 서운했을까. 이 어린아이들의 마음을 얼마나 더 다독거리고 눈 맞추어 주면서 지내야 하는지 교사라는 직업이 어렵다는 생각을 한 번 더 생각하게 된다.

나는 수업 중에 자주 이야기한다. 이 교실에는 너희들이 30년 후에도 만나는 친구가 있을 거다. 그래서 하루하루의 생활이 중요하단다.

30년이 지나서 친구를 만난다면 이 교실의 누구와 만나게 될까 생각하면서 고개를 돌려 하나하나의 얼굴을 살펴보라고 한다. 교실은 순간 긴장감이 돈다. 서로 돌아보는 아이들 눈빛에는 친근함이 나타난다. 그 표정 하나하나가 참으로 예쁘고 사랑스럽다. 학생들의 이런 착하고 여린 모습이 진짜인데 일부 학생들의 거칠고 다듬어지지 않은 행동들만 더 많이 강조되는 요즘이다. 이 부분은 우리 어른들이 반성할 필요가 있다는 생각을 해본다. 그러면서 학생들에겐 그 순간의 진지해진 감정을 오래 마음에 담아둘 것을 잊지 않고 당부한다.

나는 지금도 중학교 1학년 때 같은 반이었던 동무와 만남을 이어가고 있다.

내가 중학교 1 학년!

벌써 40년 전이다. 그 사이 나에겐 어떤 일이 일어났고, 어떤 모습으로 달라졌을까 잠시 돌이켜본다. 그때 우리 담임 선생님에게는 나도, 친구도 예쁜 학생은 아니었던 것 같다. 선생님의 계속된 꾸중에 교실과는 멀어지고 그럴수록 난 친구와 한마음이 되어서 더 많이 떠들고, 숙제도 안 하고, 청소 안 해 혼나곤 했다. 그렇게 교실에서 멀어질수록 우리 둘은 점점 더 친해졌다. 할 얘기가 많아지니 함께하는 시간이 길어졌고, 자연히 다른 친구들이 하교한 교실 한구석에서 이런저런 얘기를 하다가 집에 늦게 간 날도 많았다. 그때는 어린 마음에 서운함만 있었지 더 예쁘고 현명하게 자라길 바라는 선생님의 속마음까지 알 수는 없었다. 어른이 된 지금은 이러한 보살핌이 쌓여서 오늘의 내가 있다는 것을 알게 되었고, 새삼 선생님을 그리워하면서 그 당시를 '행복'이라 말을 하고 있다.

중학교 1학년, 내 어린 마음에 참으로 슬픔도 많았었고, 기쁨도 많았었다. 그때 나에게 슬픔과 기쁨을 주던 것들이 어떤 일들이었는지 기억나지 않지만 당시 우리는 진지했었다. 밤하늘에 별이 뜰 때까지 학교에 남아서 친구와 이야기하면서 발을 동동 구르며 하나하나의 슬픔을 삭이고 기쁨을 나누었다. 누군가 먼저 눈물 흘리면 같이 눈을 껌벅이며 손잡고 마음을 함께 했었다.

그때는 내가 이렇게 아줌마가 되어있는 모습은 상상도 못 했다. 지금은 내가 낳은 딸이 중학생을 지나 성인이 되었고, 나는 중학교 교실에서 학생들과 매일 만나고 있다. 참 많은 시간이 흘러 여러 일들이 지났고 그 일들이 모여 지금의 나를 여기 있게 해 준 것임을 안다.

어제 과학실 청소하면서 다툰 학생들도 내일은 어제의 다툼은 잊고 웃으면서 함께 청소시간에 오기를 바라는 마음이다. 그들에게 지금 당장은 눈물이 날 만큼 화나는 일이 나중에 어른이 된 다음에는 그저 사소한 작은 일이 된다는 것을 어찌 이야기할 수 있으랴. 내가 지금 할 수 있는 것은 웃으면서 그들의 얘기를 눈 맞추며 하나하나 들어 주는 것이다. 조급한 내 맘은 잠시 접어두고 눈물 글썽이며 다가온 학생의 등을 다독이면서 마음을 따뜻하게 감싸주는 일이 먼저다. "지금 이 시간의 내 생활이 모여서 먼 후일 어른인 내 모습이 만들어지는 것이다. 모두 함께 손잡고 더 이야기 해보자."라고. 너희들도 나처럼 40년의 시간이 지난 다음까지 이 친구 중 누군가와의 만남을 이어갈 수도 있게 된다는 말도 함께하면서 다툼을 정리해줘야겠다.

기다리자! 내일은 다섯 명의 아이들이 환하게 웃으면서 손잡고 함께 과학실문 열고 들어오기를.

내가 원하는 봄 소식은 / 연꽃 그리고 연밥 / 수술 / 수술 후 한달

너무 이른 축배의 배반 / 분가하는 작은딸

제4부

수술

내가 원하는 봄 소식은

이른 봄의 따스함을 즐기던 것도 잠시 요즘 꽃샘추위가 겨울 만큼이나 매섭다. 다들 올 겨울의 유난한 추위를 생각하면 봄은 따뜻하고 정겨우리라 기대했는데 자연은 우리의 바람을 여지없이 무너뜨리고 있다. 입춘에는 아이들과 수업 시작 전 24절기와 날씨의 변화를 연결하면서 우리 조상의 슬기로움에 대한 이야기를 하곤 했었다. 그런데 어제는 입춘인데도 아침 등굣길에 함박눈이 펑펑 내려 봄의 따스함을 이야기 할 수 없었다. 겨울에도 안 오던 눈이 가지마다 이 만큼씩 쌓여서 몸을 잔뜩 움츠리게 하니 어디에도 봄이 오는 기운이 느껴지지 않았다. 그래도 다들 마음속으로는 곧 봄이 와 따뜻해지고 꽃이 필 것을 기대하면서 남쪽 어딘가에 피었을 유채꽃을 그리며 내리는 눈을 바라보고 있었다.

지금은 아무리 추워도 자연의 시계는 사람의 힘으로는 멈추거나 되돌릴 수 없음을 우리는 다들 알고 있기 때문이다.

힘든 겨울 지나면 다가오는 봄의 따스함을 기다리듯이 내가 기다리는 좋은 소식은 무엇일까. 이 봄 나와 우리 가족이 가장 간절하게 기다리는 소식은 병원 다니는 둘째 딸이 다음 달 정기 검진에서 나아졌다는 좋은 진료결과가 나오는 것이다.

중학생 때 학교에서 받은 소변검사에서 정기 검진을 요한다는 판정을 받고 동네 내과, 도내 대학병원, 그것도 안 되어서 서울에 있는 큰 병원에 입원하여 조직검사 후 'igA'신병증 진단을 받았다. 그 후로 지금까지 계속 검사하면서 하루도 빠짐없이 약을 먹고 있는데 나아지지 않는다. 다들 그 병이 더 나빠지지 않는 것이 약을 먹는 목적이지 완치는 어렵다고 했다. 약을 안 먹으면 병은 급속히 나빠지니 빠트리지 않고 매일 챙겨 먹어야 한다. 약 안 챙겨 먹는다고 소리 지르며 야단칠 때도 있지만 엄마인 내 속 마음은 어린 나이에 얼마나 힘들고 귀찮을까 안쓰럽고 딱할 때가 많다. 잠시 집을 떠날 때도 제일 먼저 챙기는 것이 약봉지다. 딱하지만 잊어버리면 안 되기에 종종 큰 소리가 오갈 때가 많았다.

열네 살 이후로 지금까지 서로 힘들게 겨우겨우 지났는데 지난번 검진결과가 많이 안 좋았다. 이제는 소아과에서 신장내과로 이전되어 담당 의사도 2년 전에 바뀌었다. 성인이 되었다고 극구 혼자서 병원에 가겠다고 내게서 신용카드를 받아서 의사를 만났었다. 그날 둘째는 다음번 검사에는 보호자와 함께 오란다고 조심스럽게 이야기했다. 이야기를 듣고 우리 부부는 하늘이 노래졌다.

병원에서 식이요법 상담을 받고 왔다며 작은 책자를 주는데 먹지 말라는 음식만. 가득하다. 지금껏 좋다고 여겼던 과일, 생야채, 견과류도 이제는 안 된다고 한다. 쌀밥과 정 힘들면 식빵은 먹는데 고기도 많이 먹지 말란다. 심지어는 소변을 많이 보면 안 되니 물도 안 된단다. 엄마가 뭔가를 해 주고 싶은데 해 줄 것이 없다. 매일 인터넷을 뒤져보아도 다 비슷한 얘기뿐이다. 흔치 않은 병이어서인지 한 사람이 올려놓은 글을 여기저기에 복사해서 옮겨 놓아 특별한 내용이 없다.

우선 밥과 최소한의 물만 먹으라고 하는데 딸아이는 자꾸 다른 것을 먹으려 한다. '나 만큼 절실하지 않은가 보다.'라는 억지 생각이 나기도 한다. 그래서 화가 난다. 소리 지르다 내가 지치고, 먼저 울먹이게 된다. 저는 내게 말도 못하고 속으로 더 힘들 텐데, 내가 참아야 하는데, 안아주어야 하는데, 그런데 잘 안 된다. 너무 속상하다. 마음 진정하고 우리 우선 한 달 만 열심히 음식 조절하고 검사받자고 타일렀다.

서로 얘기하다 보면 조금은 마음을 진정할 수 있다. 봄꽃이 화사하게 피는 4월 하순에 병원에 가서 검사받으면 좋은 결과가 나올 수 있기를 기도한다. 그때는 나도 하루 학교에 연가 내고 남편과 서울서 만나 셋이 병원에 가기로 했다. 꽃 소식과 함께 좋은 소식 듣고 청주로 돌아올 때는 크게 웃을 수 있었으면 좋겠다. 겨울 지나고 봄이 오듯이 지금부터 검사받으러 갈 때까지 조심스럽게 식단 조절하여 신장 징후를 나타내는 여러 가지 수치들이 좋아졌다는 결과가 나오길 기대한다. 그게 내가, 남편이 간절하게 바라는 봄소식이다.

연꽃 그리고 연밥

일요일 아침인데 다른 날 보다 오히려 일찍 눈을 뜨게 되었다. 출근을 하지 않아도 된다는 느긋한 마음이 또 다르게 표현되는 모습이다. 따뜻한 차를 한 잔 준비 한 다음 어젯밤에 머리맡에 놓아둔 책을 펼쳤다. '너무 예쁜 소녀'라는 제목이 눈을 끌어 도서관에서 고른 책이다.

읽을수록 재미가 있어 빨리 다 보고 싶은 마음을 갖게 만든다. 책을 읽다 창밖을 보니 해가 제법 높이 올라오고 있었다. 밝은 햇살이 살갗에 바람을 느끼고 싶다는 생각이 들게 해 주었다.

서둘러 고양이 세수를 하고, 옷을 대충 꾸려 입고, 읽던 책과 새로 내린 따뜻하고 향기로운 커피를 텀블러에 담고 연꽃 방죽으로 차를 몰았다. 집에서 조금만 가면 아침을 행복하게 맞이할 수 있는 연꽃과 방죽, 방죽 한가운데에는 팔각정의 정자가 있는 곳에 닿는다. 이 정자에 가서 넋 놓고, 연못에 넓게 펼쳐진 연잎을 보며 일요일 아침을 맞이하다 보면 마음이 정말 편안해진다. 오늘은 책도 있고 간식도 있으니 시간이 더 여유롭다. 봄부터 주말에는 자주 이곳에서 혼자 아침 해를 맞이하며 행복한 시간을 보내곤 한다.

지난 6월에 왔을 때는 봉우리 진 연꽃에서 피어나는 향이 아주 은은하고 싱그럽게 방죽을 감싸고 있었다. 이 순간부터 발걸음이 절로 조용해지며 향기를 온몸으로 맡게 된다. 향기와 함께 다른 감각도 깨어난다. 넓은 연잎에 방울방울 맺힌 물방울이 떠오르는 아침 햇살에 반짝이며 빛을 내고 있다. 잔잔한 바람에 연잎에서 이리저리 살살 움직이며 점점 커지다가 마침내 또르르 굴러 방죽 속으로 떨어지는 모습을 볼 수도 있다. 신기하고 재미있는 모습에 절로 웃음이 났다. 이 모습을 나 혼자 보기가 아쉽다. 방죽에서는 개구리, 두꺼비 울음소리가 들리고 숲에서는 온갖 새소리도 들린다. 소리라는 게 처음부터 들리는 게 아니다. 처음에는 그저 눈에 이 모습 저 모습을 담느라고 소리까지는 듣지 못했다. 그러다가 어느 정도 시간이 지나 한숨 돌리고 하늘 쳐다보면서 심호흡 크게 하면 그 때부터 여기저기서 소리들이 들리기 시작한다. 한 몸의 각기 다른 기관들이니 동시에 시각, 청각, 후각을 느끼겠지만 내 정신은 그들을 하나씩 인지하고, 순서를 정하여 가슴으로 받아들이고 있다. 참으로 자연은 우리에게 주는 선물이 많은데 그걸 다 받아들이지 못하고 있음이 안타까울 뿐이다. 코로 향기를 맡고, 눈으로 탐스러운 봉오리 보고, 귀로 소리를 들으면서 팔각정에 앉아 있다 보면 친구들이 절로 생각난다. 휴대폰을 들어 사진을 보내면서 아침 인사를 한다.

하지만 사진은 모습만 보낼 뿐이다. 이 연못의 향기도, 개구리 울음소리도 함께 보내지 못한다. 그래도 내가 그들을 그리워하는 마음은 사진과 함께 보내는 메시지를 따라서 함께 전해진다. 9월도

중반에 접어든 오늘은 꽃은 없고 여기저기 연밥이 한몫을 한다. 올 여름 너무나 더워서 아침에 여기까지 다녀가던 일도 뜸해졌었다. 집 근처 작은 연못을 가끔 가보면 작년처럼 꽃이 피어나지 않음을 안타까워하면서 이것도 지독한 더위 탓이라 날씨 타령만 했다. 우리 동네가 이러니 여기도 꽃이 피지 않았으리라 나 혼자 생각하고 단정 지은 것이 잘못 이었나보다. 여기는 이렇게 많은 꽃들이 피었다 지기를 반복하고 있었는데 내가 오지 않았으니 볼 수 없었다. 가까이 있는 동네의 작은 연못만 가보고 여기도 같을 것으로 짐작하고 와 볼 생각을 못했다니……,

이처럼 세상의 많은 일들을 내 중심으로 생각하고 결론 내리고 안타까워했던 일은 없었는지 돌아본다. 조금만 마음 내고 시간 내어 가서 확인해 보면 될 것을 가서 보지 않고는 미리 짐작으로 미루어 생각하고는 연꽃향 만을 그리워하고, 그 은은하고 기품 있는 향을 맡지 못함을 아쉬워하고 있던 것처럼 말이다. 꽃이 다 진 뒤에 뒤늦게 와서 누렇게 변해가는 연밥을 보고 저기에선 흰색 꽃이 피었을까, 분홍색 꽃이 피었을까 상상하면서 뒷북만 치고 있는 내 모습을 상상하니 헛웃음이 난다.

아무리 여름날이 더웠어도 연잎은 잎을 키우고 조용하고 기품있게 우아한 꽃을 피워내고, 시간이 지난 다음 꽃을 연밥으로 바꾸어 놓는 시간의 흐름을 방죽은 정직하게 담아내고 있었다. 내가 집에서 투덜대고 있음을 아랑곳하지 않고.

문득 이게 자연이라는 생각이 들고 겸손해진다.

아침 바람과 함께 들떴던 마음이 차분히 가라앉는다. 하루하루를 보내는 시간은 대충이고 건성일 때가 많은데 그 시간들이 쌓여서 한 달이 되고 일 년이 되면서 나도 이제 갱년기를 맞으며 젊음을 정리하고 있다. 이 순간 마음속으로는 한 시간 한 시간을 소중하고 열심히 지내야 한다는 생각을 한다. 이런 내 마음이 쌓여 가면 내년 2월에 예정된 둘째 수술도 먼 시간이 아니고 속히 다가올 것이다. '그래, 가보지 않은 걸 미리 짐작으로 두려워하지 말고 담담하게 받아들이자.' 물속의 연도 이 여름 더위를 다 받아들이고 화려하게 꽃을 피웠다가 연밥으로 변화되어 가듯이 내 마음속 걱정도 시간을 따라 그렇게 조용하고 차분하게 흘러가며 내년의 변화를 기다릴 것이다. 그때가 지나면 지금 연꽃을 보는 것처럼 우리 가족에게 행복이 기다릴 거야….

수술

오랜만에 지인과 통화를 하면서 서로의 안부를 챙기게 되었다. 웃으면서 서로 잘 지내고 있음을 확인하고 있는데 상대의 목소리가 조심스러워 진다. 나도 덩달아 뭔 일이 있나, 무슨 이야기를 하나 듣고 있는데 "둘째가 많이 아프다는 소리를 들었는데 어떤 상황이야?"한다. 난 순간 당황스러움을 느끼긴 했지만 내색하지 않으려고 애쓰면서 태연하게 응답을 했다. "그거 별 일 아니어요. 시간이 늦추어 지는 게 걱정이지, 내 신장을 딸에게 이식하는 수술을 내년 2 월에 하기로 했어요"라고 했다. "얼마나 다행인지 몰라요." 라는 말도 덧붙였다.

둘째가 중학교 다닐 때 학교에서 의례적으로 하는 소변검사에서 정밀검사를 요한다는 연락을 받았다. 근처 내과에 갔더니 큰 병원으로 가라 처방을 받았고 충북대학교 병원을 거쳐 서울에 있는 종합병원에 가서 조직검사를 받았었다. 추운 겨울 몇 일간 입원하여 검사받은 결과는 듣기에도 생소한 'igA신병증'이란 진단이었다. 발병원인도 모르고 아직까지 특별한 치료 약도 없다면서 처방해주는 약을 계속 먹어야 한다고 했다. 학생이라 병원을 자주는 못 오니 방학이 되면 서울병원에 와서 혈액검사, 소변검사 하여 결과 보고 약 처방을 다시 해준다고 하였다. 이렇게 하여 병원을 왕래하기가 근 10여 년 되었다.

아이가 고등학생 때 한 번은 병원에서 검사 결과를 본 의사가 너무 갑자기 나빠졌다고 걱정을 하면서 약 처방을 해주었던 적이 있다. 너무 놀란 나머지 난 눈물이 막 났었다. 병원에서 울고 있는 나를 보고 아이는 따라 울면서 사실은 지금까지 아무리 약을 열심히 먹어도 좋아지지 않기에 제대로 먹지 않아도 나빠지지도 않을 것 같아서 내게는 약 먹는다 하고 몰래 버렸다고 한다. 그러면서 이제부터는 열심히 약을 먹어서 이렇게 나빠지지 않게 하도록 노력하겠다고 약속했다. 사람들이 오가는 병원 한 구석에서 둘이 참 많이 울었었다.

그 이후로 계속 병원에 열심히 다녔는데 이제 더 이상은 약으로 해결이 안 된다고 한다. 남은 것은 우리가 소설이나 영화에서나 봤던 장기이식밖에 없단다. 받아들여야지. 그래서 나을 수만 있다면….

지난 여름 검사하여 내 신장을 이식해도 된다는 결과를 얻었다. 얼마나 좋았는지 모른다. 결과가 나올 동안 한없이 마음 졸이며 기다리다 나도 되고, 남편도 되니 둘이 상의하여 제공자를 결정하면 된다는 말에 이게 복이다 싶었다. 비록 병을 얻은 것은 나쁘고 어쩔 수 없는 일이지만, 부부의 신장을 모두 딸에게 제공해 줄 수 있다는 것은 어딘가에 있는 신이 우리 가족에게 준 또 다른 선물로 받아들이고 수긍하려 한다. 당연히 내가 줄 것이다. 나는 망설임없이 결심했다. 내 몸에서 나온 내 딸인데 무슨 상의가 필요한가. 주변에서 사정을 들은 가까운 친구들은 남편이 안 하고 왜 네가 하느냐고 지청구가 참 많다. 남편은 담배도 피우고 약간의 당뇨가 있어서 안 좋다고 대답을 하였다. 그런데 그건 다 핑계다. 자기가 수술하겠다는 남편을 내가 말렸다. 내가 하고 싶었다. 이유가 없다. 나와 딸의 조직이 달라서 수술이 안 된다면 어쩔 수 없지만 내가 된다고 하는데 아무리 남편이라도 다른 사람에게 하라고 할 수는 없었다. 남편도 내 막무가내의 맘을 알아주었다.

결정하고 인터넷에서 수술한 사람들의 후기를 읽어보니 처음 며칠은 정말 많이 아프다고 한다. 하지만 내가 할 수 있다는데 수술이 얼마나 아플지, 힘들지는 걱정되지도 않고 문제가 되지 않는다. 하고 나면 그러면 다 좋아질 텐데. 그러면 지금과는 다른 모습의 딸을 볼 수 있을 텐데. 내가 조금만 아프면 그러면 딸은 지금처럼 힘들지 않고, 피곤해하지 않으면서 지낼 수 있다는데 뭐가 문제인가? 단지 걱정이 있다면 나보다 더 아플 딸이 수술과 회복을 잘 견디어 줄 수 있을까 하는 것이다. 잘 해 주리라 믿는다. 건강하고 밝은 어렸을 때의 모습으로 돌아와 더 많이 얘기하며, 함께 행복한 시간을 보낼 수 있기를 바란다.

주변에서는 걱정들을 많이 해준다. 너 건강도 좋은 편은 아닌데 감당할 수 있겠느냐고? 그들은 모른다. 내 것을, 남이 아닌 내 것을 줄 수 있음을 내가 얼마나 감사하고 고마워하는지, 그러니 내가 수술하고 나서 조금 힘든 것은 내 몫으로 다 감당할 수 있을 것 같다. 지금부터 수술하는 날까지 열심히 건강관리 잘해서 정말 튼튼한 신장을 딸에게 줄 수 있게 준비하는 것이 엄마인 내가 할 일이다. 겸손한 맘으로 준비하며 성의껏 기다릴 것이다.

수술 후 한 달

가을을 보내고 겨울이 끝나가는 즈음에 우리 가족은 병원으로 향했다. 집을 나서기 전에 네 식구 모두는 겉으로는 웃었지만 속은 각자의 생각으로 마음이 무거웠다. 수술에 대한 두려움은 있지만 그걸 말로는 못하고 서로의 눈치만 슬슬 보면서 자기 방식대로 간절히 기도할 뿐이다.

병원에 도착하여 수여자인 작은 딸은 신 췌장이식과에, 공여자인 난 비뇨기과에 각기 입원하였다. 수술 전날이라고 인턴이 수술에 필요한 사항을 이것저것 설명하면서 금식을 하고 아침 수술에 임하라 한다. 잔뜩 긴장하여 다들 멋있다고 하던 입원실 창밖의 야간 풍경을 볼 엄두도 나지 않았다. 저녁부터 관장을 하여 속을 비우고 무슨 검사를 한다고 피를 뽑아가고, 수술 방법에 대하여 설명을 하는데 정신이 없으니 그저 "예."라고 밖에 응대를 못했다.

다음날 아침, 드디어 수술하는 날이다. 11시에 시작한다고 하였지만 우리는 새벽부터 일어났다. 둘째와는 병실이 다르니 서로 얼굴을 보지 못하고 전화로 이야기하였다. 다 잘 될 테니 걱정 말고 그저 기도하자 했다. 그러면서 웃었으나 속은 걱정 투성이고 한 없이 겁이 났다. 내가 먼저 수술실에 들어가고 내 것을 적취하고 바로 딸의 수술이 시작된단다. 마취에 들어가기 전 이동 중에 남편과 큰딸의 겁먹은 얼굴을 보았고 손을 잡았었다. 수술실에 들어갔다. 그리고 마취가 시작되었다. 그 뒤로는 간호사와 의사가 기구를 만지면서 달그락거리는 소리가 들렸었다는 것 밖에는 글쎄…… 별 기억이 없다.

처음 두어 시간 걸린다고 했었는데 예상보다 늦어져서 기다리던 큰딸은 걱정이 되어 울었다는 이야기를 나중에 들었다. 남편은 내색도 못 하고 속이 얼마나 탔을까. 다 끝나고 깨어났다. 처음엔 아무 정신이 없었다, 그저 딸만을 찾았다. 아직 안 나왔단다. "엄마 많이 아파?" 하는 큰딸의 울먹이는 목소리가 들렸고, 남편이 보였다. 누구 손을 잡았는지 얼결에 손을 잡았다. 잠시 후부터는 엄청 아팠다. 정말 많이 아팠는데, 그런데 아프다는 내색을 할 수가 없었다. 내가 조금 아픈 내색을 하면 큰딸은 울 것이고, 남편은 어찌할 줄 모르면서 안타까워할 것을 알기 때문이다. 아픈 중에도 함께 수술한 딸이 보고 싶은데 병실이 다르니 움직이지 못하는 난 볼 수가 없고 여기로 저기로 남편과 큰딸이 왔다 갔다 하면서 통신병 역할을 하였다. 한참 후 딸의 수술도 잘 되었단다. 그 소리를 들으니 이제 난 아파해도 될 것 같은 묘한 안도감이 생겼다. 잘되었다! 하느님, 감사합니다. 절로 손이 모아졌다. 그저 고맙고 감사할 뿐이다. 수술해 준 의사도, 잘 견디어 준 둘째도, 옆에서 어쩔 줄 모르며 뛰어다닌 남편과 큰딸도, 그리고 나에게도 고맙다.

내 신장을 받아 주고 수술을 견디어 준 딸에게는 더 많이 고맙다.

처음 며칠은 많이 아팠다. 누군가는 수술 후기에 아기를 낳을 때의 산통처럼 아팠다고 하는데 나는 그보다 더 아팠던 것 같다. 산통은 통증이 간헐적으로 왔었지만 이 경우는 쉬지 않고 계속 진통이 이어졌다. 무통 주사를 맞긴 하였지만 그것도 잠시 뿐이다. 더구나 무통 주사가 나와 잘 안 맞았는지 속이 미식거리고 식은땀이 나서 견딜 수가 없었다. 그래서 한동안 주사액을 주입하지 않고 견디고 있으려면 통증이 못 견디게 오고…. 내가 이러는 중에도 다행인 것은 딸의 회복이 좋다는 거다. 내 생각하느라 아프다는 내색을 잘 하지 않는 것도 있었겠지만 의사, 간호사의 말도 다른 경우보다 우리의 예후가 좋다고 하니 그저 좋았다. 통증이 있을 거는 수술 전부터 알았으니 아픈 게 당연하다는 생각을 하면 견디기가 수월하였다. 옆에서 간병해 주는 분도 우리 둘의 모습을 보고 예전의 다른 사람과 비교하면 좋은 편이라 하며 아파하는 나를 귀찮아하지 않고 친절하게 돌봐 주셨다. 3일이 지난 후부터는 견디기가 훨씬 나아졌다. 의사도 이제 진통제만 처방해 줄 뿐이었다. 월요일 입원하여 난 금요일에 퇴원하였다. 처음엔 1주일 예상하라 했는데 회복이 빨라 당겨졌다.

내가 먼저 퇴원하고 딸은 잘 안착되어 가는 것을 좀 더 지켜봐야 한다며 삼사일 걸릴 것이라 하였다. 약을 한 보따리 받고, 수술 자국이 작게 네 군데 남은 배에는 복대를 하고 조심스럽게 퇴원하여 청주 집으로 왔다. 둘째는 간병인과 큰딸이 보살피게 하고 나는 남편과 집으로 돌아와 친정엄마의 도움을 받으며 조금씩 회복해 나가는 중이다. 덕분에 이렇게 나이 들어서도 친정엄마가 해 주는 밥을 먹으면서 걱정을 끼치는 것이 미안하기도 했지만 '그래도 이건 내가 해야만 하는 일이었다.' 생각하면서 엄마의 마음을 가라앉혀 드렸다.

힘들었지만 그래도 좋아진 딸을 보면 힘이 난다. 웃는 딸을 보면 얼마든지 더 할 수 있다는 마음이다. 그만큼 딸이 좋아졌다. 성격도 밝아졌고 말도 많이 한다. 그저 고맙다. 남편도 큰딸도 표정이 밝아졌다. 웃는 얼굴이 모두 환하다. 이제 우리 딸 건강해져서 서로 도와가며 함께 우리 가족 행복하게 살 일이 남았다.

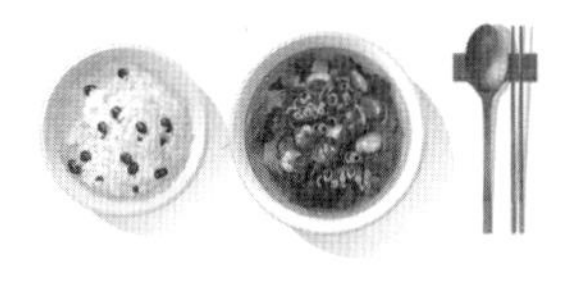

너무 이른 축배의 배반

2월이 지나면서 딸과 나의 수술 경과가 많이 좋아졌다. 병원의 관계자도 우리의 빠른 회복이 예상 밖이라면서 함께 축하해 주었다. 조심해야 한다는 말은 들었지만 그래도 우리 둘은 많이 자유롭게 생활하면서 하루하루를 즐기고 있었다. 그런데 신기한 일이 있다. 딸은 어렸을 때부터 아토피 피부염이 끊이지 않고 발생하여 고생을 많이 했는데 아토피 피부염이 거의 없어진 거다. 놀라운 일이다. 의사는 몸 안의 순환이 좋아지니 노폐물의 배설이 좋아지고 체내에 독소 성분이 남지 않기 때문일 것이라 설명해준다. 팔을 긁지 않고 잠을 잘 수 있고, 잠자다 가려워 깨지 않으니 정말 좋단다. 얼굴의 혈색도 많이 좋아졌다.

이러한 변화 하나하나를 보고 그동안의 고생은 다 끝난 것이라 생각하면서 수술하기를 정말 잘했다고 누차 얘기하고 우리는 좋아했었다. 좋은 일이 일어나니 우리 둘 다 수술 당시의 통증과 어지럼증 등은 다 잊어가고 있었다. 나의 신장을 몸 안에 이식받은 딸도 '면역억제제'라는 약만 꾸준히 잘 먹어 준다면 큰 문제는 없을 것이라는 말을 들으면서 정말 감사했다. 그냥 누군가에게든 고마운 마음만 들었다. 딸도 시간 맞추어 많은 약을 잘 먹으면서 변화를 감사히 받아들이고 있었다. 몸이 좋아지니 생각하는 방향도 많이 달라졌다. 이야기하는 방식이 훨씬 더 긍정적으로 변하여서 이야기하다가 나와 얼굴 붉히고 언성 높이는 일이 줄었다. 이렇게 우리는 그동안 쌓인 상처를 어루만지고 보듬으며 서로 흐뭇해했다. 나만 그런 것이 아니고 딸도 그랬다. 방에서 혼자 있는 시간보다 거실에 나와서 가족과 함께 있는 시간이 많아졌다. 무슨 특별한 이야기를 하는 것은 아니다. 그저 같은 시간에 같은 공간에서 숨 쉬며 상대방을 느끼면서 지내는 일상이 잔잔하게 지나가고 있었다. 하루하루 흘러가는 시간을 즐긴다는 말이 너무 멋있게 들렸다. 그러나 그건 얼마 동안이었다. 얼마 동안…….

2월에 수술하고, 3월을 즐겁게 보내며 만족하고 있었는데 4월 초에 사달이 났다. 딸이 갑자기 소화가 안 되고 음식을 먹을 수가 없다고 하면서 아프기 시작했다. 우선 집 앞 내과로 가서 사정을 이야기했더니 소화제만을 처방해주고는 집에 가서 쉬면 나아질 거라고 했다. 다음에는 좀 더 큰 종합병원으로 갔으나 역시 같은 말만을 듣고 병원을 나서는 수밖에 없었다. 그사이 아이는 매일 아프다고 울며 음식은 먹지를 못하였고, 그 모습을 지켜보는 나는 정말 또 다른 죽을 맛이었다. 어디도 하소연할 곳은 없고….

열흘을 이렇게 동네에서 아이가 아프다고 울고 병원 다니다가 서울 수술한 병원 응급실로 야간에 간 적도 있으나 지금 증상으로는 해 줄 것이 없다는 얘기만 듣고는 허무하게 돌아왔었다. 애는 다 죽어 가는데, 그 애를 차에 태우고 운전하며 오는 나는 더 죽겠는데, 하느님이 원망스러웠다. 지난달의 행복이 정말 꿈이었나 싶었다. 다시 집으로 와서 근처 종합병원에 입원하고 내시경 검사를 하였으나 통증이 줄어들지도, 원인을 찾지도 못하고 발만 구르다 또 수술한 병원 응급실로 가서 사정을 이야기하면서 수술한 의사와 연결해 달라 하였다. 규정을 들여다보며 안 된다고 하던 관계자들도 우리의 긴 사연을 듣고 이리저리 전화하더니 겨우 응급실에서 신장내과로 전과하여 입원실을 연결하고 의사 진료 후 검사를 시작하게 되었다. 그 동안 딸은 음식을 제대로 먹지도 못하고, 몸을 추스릴 기운이 없어 걸음도 누가 옆에서 부축해주어야 겨우 걸을 수 있을 정도로 나빠졌다.

수술하고 입원할 때는 준비하고 각오하였던 일이라 아파도 참을 수 있고 조금 고생하면 좋아질 거라는 희망이 있었는데 이번에는 정말 암담하였다. 영화에서 보던 불치병을 앓는 환우들과 그 가족의 심정을 조금은 이해할 수 있게 되었다고 할까?

담당 의사의 지시 하에 여러 가지 세밀한 검사를 한 결과 그렇게도 애타게 기다리던 진단이 나왔다. '거대세포 바이러스 증'이란다. 이식수술을 받은 환자들이 많이 겪는 병이란다. 병명이 나오니 그에 적절한 처방도 나오고, 처방에 따라 치료를 진행하니 이제 통증이 줄었다. 며칠이 지나 음식도 정상적으로 먹기 시작하였다. 우리의 얼굴이 조금씩 밝아지기 시작했다. 그리고 이참에 신장이식 수술 환자와 환자 가족이 주의해야 하는 내용을 컴퓨터에서 검색하며 공부를 더 하였다. 이번 한 번으로 고생을 마무리하고 이제 정말 행복하게 가족이 웃으며 지내고 싶다는 간절한 생각을 갖게 되었다. 지난 3월에 수술한 둘째와 우리 가족 모두가 건강한 가족이 되자고 다짐하며 서둘러 자축한 일을 돌이켜보았다. 초기 증상만 보고 괜찮아졌다고 자랑하던 것을 반성했다. 이제부터는 앞으로 어떤 일이 다가올지 더욱 조심하면서 지내야겠다고 온 가족이 함께하면서 하루하루 보낸다.

분가하는 작은딸

6시가 좀 지나자 전화벨이 울린다. 정시 퇴근 한 둘째 딸이 오늘 저녁에 맛있는 거 먹고 싶다고 말한다. 둘째가 말하는 그 맛있는 저녁은 엄마가 집에서 해 주는 게 아니고 밖에서 사 먹자는 얘기임을 안다. 지난주 같으면 "그래 버스가 집 근처에 오면 전화해, 그럼 나갈게."했을 테지만 오늘은 단번에 잘랐다. "안돼 이미 생선조림 하려고 준비 중이야."하면서 오늘은 집에서 먹자 했더니 알겠다면서 전화를 끊는다. 어제 주말농장에서 내가 직접 말린 무청시래기를 무쇠가마솥에 삶아 가져온 것이 있다. 부드러운 무청시래기를 넣고 제가 좋아하는 생선조림을 해 주기로 하였다.

이렇게 퇴근 시간에 맞추어 저녁을 준비하여 함께 먹을 기회도 이제는 얼마 남지 않았다. 직장을 옮겨 대전에 있는 본사로 출근이 발표될 때는 버스 노선이 한 번에 연결되니 집에서 다니면 되는 줄 알고 가족 모두가 반가워했다. 우선 우리 집이 세종 종점에 가까이 있으니 앉아서 출근하게 됐다. 직장도 마침 대전 버스 종점 가까이 있어서 퇴근할 때도 앉아서 다닐 수 있다. 이것도 다 제 복이라 하면서 좋아했다. 처음 몇 주 동안은 힘든 줄도 모르고 새 직장에 적응하기만 바빴다. 좀 시간이 지나자 밝기만 했던 얼굴에 피곤한 기색이 조금씩 점점 더 많이 나타났다.

그래도 난 독립하여 분가를 시켜 줄 생각은 하지 못했다. 그저 주말 휴일에 너무 늦게 일어나는 걸 보며 밥은 꼭 먹으면서 생활하자고 잔소리만 자꾸자꾸 했다. 말이란 게 처음 나올 때는 부드러워도 반복되다 보니 목소리의 톤이 달라지고, 그 소리를 듣는 딸도 힘들어하더니 처음의 좋았던 관계도 조금씩 어긋나기 시작했다. 그리고는 집에서 먹던 저녁을 자꾸만 밖에서 사 먹거나 그것도 안 되면 배달시켜 먹는 횟수가 많아졌다.

급기야 딸은 도저히 안 되겠다며 회사 근처에 집을 구해 달라고 했다. 옆에서 지켜보던 나도 반대할 수가 없었다. 얼마나 힘들어하는지를 지켜보았기에 꾀병이 아님을 안다. 왕복 3시간 걸리는 출퇴근을 감당할 수가 없는 애에게 내 생각만 해서 견디어 내라고 할 수가 없었다. 제 딴에도 말 꺼내기가 어려웠던지 내게 말하기 전에 은행 대출을 알아보았고 나머지를 도와 달라 말하는데 그 소리가 점점 작아져 갔다. 처음 말을 듣고 선뜻 동의를 하지 못하고 시간을 조금 갖고 생각해 보자고 타일렀다. 그런 나도 속으로는 그래 이게 순리야, 저렇게 힘들어하는데 집에 잡아 두는 것만이 잘하는 것은 아니야, 하면서 머릿속으로 통장 잔고를 헤아리게 되었다. 마음을 정하고 함께 인터넷을 살펴보고, 몇 군데 중계소에 전화를 해보고 같이 대전으로 갔다. 소개받은 집을 여기도, 저기도 가서 자세히 살펴본 후 집으로 돌아오는데 도무지 마음이 편치 않았다.

아직은 좀 더 곁에 두고 싶은 마음이 큰데, 내 욕심을 접어야 하는 현실을 받아들여야지, 하고 머리는 정리해 준다. 지난 몇 주 동안 퇴근하면 씻지도 못한 채 소파에서 잠드는 모습을 보면서 안타까워하였었다. '이렇게라도 해 보는 것이 정답이다.'라며 자꾸 나를 다독였다. '맞다. 힘들어하는데 그걸 해결해야지 그저 끌어안고 있을 수만은 없어.'하면서 내 서운함을 삭혔다. 이렇게 회사 근처로 이사를 나가면 이제는 정말로 분가가 되어서 같은 집에서 한 주소를 갖고 살기는 어려울 것 같다는 생각에 서운한 거다. 제 언니처럼 결혼하여 떠난다면 서운하면서도 기분 좋은 마음이겠지만 이건 그것도 아니고, 그렇다고 잔뜩 들고 나간 한 보따리의 짐을 들고 다시 집으로 들어오기를 기대하기는…. 그래 잘 지낼 거야 좋은 일인데 좋게 보내야지 하면서도 안타까운 마음을 억누르기 어려웠다.

자꾸만 신경이 쓰이는 것은 남들처럼 건강한 아이가 아니기 때문이다.

신장이 나빠 2년 전 이식 받은 하나의 신장을 갖고 평생을 정기검진 후 면역억제제 처방을 받아 약을 먹으며 지내야 해서 더 맘이 쓰인다. 약 먹는 것보다 더 중요한 것은 일상생활에서 음식 섭취를 항상 신경 써야하기 때문이다. 조금 짜게 먹는 것도 안 되고 야채는 싱싱한 것을 생으로 먹어도 되지만 수산물은 안 된다. 그런데 무슨 심보인지 수술 전에는 잘 먹지 않던 생선 초밥과 생선회가 요즘은 맛있단다. 어쩌다가 한 번 먹는 걸 보면 내 가슴은 콩당콩당 뛴다. 저거 괜찮을까. 조마조마한 마음은 며칠을 가고 특이한 이상

반응이 일어나지 않으면 그제야 휴 하는 엄마 맘을 좀 알아준다면 좋겠다.

안타까운 맘을 내색하지 않고 같이 지내는 얼마 안 남은 동안만이라도 내가 해 준 건강한 음식을, 신장에 부담이 되지 않고 맛있는 뭔가를 해 먹이고 싶은데 안 통하는 이 둘의 맘을 어찌할거나. 오늘 저녁이라도 즐겁게 먹어주면 좋겠다. 난생처음 시래기를 말려 정말 어렵게 삶아서 가져왔고, 양념도 이것저것 신경 써서 생선조림을 했다. 잠시 뒤 함께 먹으면서 이렇게 간절한 내 맘을 전달해 주어야겠다.

쑥라면 / 기대되는 캠핑 / 달라진 상가 분위기 / 나와 다른 사람

약속 / 봄과 함께 온 소식 / 내 꿈은 무엇일까 / 마음 나누기

제 5 부

쑥라면

쑥라면

고대하던 5월 연휴가 시작되었다. 한 달 전부터 우리 부부는 서로의 스케줄을 조절하여 5월 초에 함께 야외로 나가자고 했었다. 남편이 연휴가 시작되는 금요일에 서울에서 열리는 노동절 행사에 참여하고 내려와 토요일 일찍 출발하는 캠핑계획을 세워두었었다. 요즘 회사에 힘든 일이 너무 많아서 답답해 죽겠다고, 어떻게든 속을 풀어내야겠다고 남편이 말했다.

남편 하소연을 들으며 엄살을 부리는 것만은 아닌 것 같다는 생각이 든다. 집에 두고 갈 딸 걱정에 조마조마 하지만 그런 내 맘은 일단 접고 집 밖에서 물소리 들으면서 잠잘 수 있다는 생각에 설레어 짐을 챙긴다. 이틀 밖에서 잘 짐인데 많기도 하다.

2인승 벤 우리 차 안은 이것저것 물건으로 꽉 찼다. 이렇게 캠핑 짐을 많이 챙겨 들고 나갈 때면 아파트 현관에서 이웃을 마주치는 것도 쑥스럽다. 다들 무슨 짐이 그리 많으냐고 한마디씩 물으면 웃으면서 "이삿짐 싸잖아요."라고 농을 하며 대답한다. 캠핑 한번 가려면 남편 일이 많다. 9층에서 주차장까지 카트로 실어 나르고 이 차에서 저차로 짐을 옮기고 이렇게 출발 전 정리만도 두어 시간은 족히 걸린다. 나 역시 집에 남아있는 아이들 먹을 것 챙기고 캠핑하는 동안 먹을 식재료 챙기느라 정신이 없기는 마찬가지다. 준비가 겨우 끝나면 늘 하던 대로 집 앞 카페에서 커피를 테이크아웃하여 목적지를 향해 출발한다.

가도 가도 내비게이션에는 우리의 목적지가 멀게 찍힌다. 도대체 얼마나 깊은 산속일까? 기대 반 조바심 반으로 밖을 보다가 지도를 보다가 포기하고 운전하는 남편을 믿고 그냥 간다. 설마 이 시대에 귀신이 사는 곳이야 없을 것이니 말이다. 그런데 참 멀리도 간다. 어느 순간 옆으로 앞으로 지나가는 차도 드물어진다. 그리고 죽죽 뻗은 나무가 우람하게 눈에 들어오기 시작한다. 저 나무들이 '금강송'이라고 운전하는 남편이 알려 준다. 금강소나무와 어우러진 숲이 봄을 아는 듯 서로 다른 초록으로 각양각색 아름답다. 이쯤에서는 다 잊는다. 남편의 회사 일도, 집에 남겨둔 아이도…….
이제는 하늘과 나무와 물과 그리고 우리 둘뿐이다.

드디어 도착했다. 이곳은 예전에 남편이 동료들과 왔었던 장소란다. 우선 차에서 물 내리고 가스통 내려 라면을 삶아 먹으려고 코펠에 물을 넣고 끓이기 시작한다. 그때 주변에 지천으로 자란 쑥이 눈에 들어온다. 하나하나 손으로 뜯어내니 바로 한 움큼이 된다. 물이 끓자 막 뜯은 쑥을 흐르는 냇물에 씻어 라면보다 먼저 넣는다. 물이 끓으면서 향긋한 쑥 냄새가 솔솔 난다. 싱그럽다. 쑥라면이라니, 집에서는 상상하지 못할 일이다. '그래 이 재미에 밖에서 라면 먹는 것이지.'하면서 라면과 쑥을 함께 끓이니 '쑥라면'이 되었다. 국물이 개운한 것이, 라면 특유의 잡내가 나지 않아서 먹기에도 좋다. 거기에 쑥향기가 더하니 찾아오느라 지루했던 기분이 기쁨으로 바뀐다.

일단 점심을 해결하고는 각자의 일로 바쁘다. 주변을 정리하고 텐트를 치고 텐트 안에 살림살이(?) 정리하고, 한참 분주하다. 그 와중에 남편은 USB 에 담아온 노래를 스피커에 연결하여 들려준다. 물소리와 함께 어우러져 듣기에 좋다. 텐트 안에는 야전침대 두 개가 놓이고 옆에는, 석유 히터, 보조의자 위에는 전기를 쓸 수 있게 해주는 태양열 충전설비, 출입구 옆에는 야외용 냉장고가 자리 잡으면 일단 큰 정리는 된다.

한숨 돌리고 텐트 밖에 놓인 가스통에 물을 끓여 차를 마시면서 일정을 다시 점검한다. 일기예보에 내일 비가 온다고 했으나 혹시 안 오면 이 근처를 걸으면서 소일을 할 텐데 비가 온다면 걱정이다. 비가 오면 우린 무얼 할까. 나는 준비해 온 소설책을 보고, 남편은 노트북을 가져왔으니 또 뭔가를 하겠지…. 내 바람은 비가 안 오고 맑은 하늘을 볼 수 있는 것이다. 그래서 이 주변의 아름다운 경치를 더 보고, 새소리 더 듣고, 혹 있을지 모르는 다람쥐도 볼 수 있기를 기대해본다. 다리가 아프도록 걸어보는 것이 이번 캠핑의 가장 큰 계획이었다. 깊은 숲속에 새로 나오는 연초록 나뭇잎을 보고, 새소리를 들으면서 하늘과 함께하는 산책, 생각만으로도 미소가 생긴다.

워낙 깊은 계곡이니 누군가 우리를 찾아 낼 일은 없을 것 같다.

우리 둘만 있으니 늦잠 자고 새소리, 물소리 실컷 듣고 청주와 서울에서의 복잡한 일들을 이틀만이라도 까마득히 잊어버리는 게 우리의 목표이다. 그렇게 될 수 있을 것이다. 그러려고 이 깊은 산속까지 왔고 그 덕에 집에서는 생각지도 못했던 길가에 올라온 쑥을 뜯어 라면에 넣어 먹을 수 있었다. 이렇게 쉬고 돌아가서는 또 힘든 일상을 반복하긴 하지만 가슴가득 담아둔 자연의 향기를 기억하고 올 때 보다 좀 더 여유 있고 너그러워진 맘으로 생활할 수 있기를 바라는 마음이다.

기대되는 캠핑

내일 남편과 캠핑을 가기로 하였다. 평년 이때쯤보다 한결 더위가 앞당겨진지라 거리의 봄꽃들은 한풀 꺾여 시들어가고 있다. 하지만 우리가 갈 캠핑 장소는 산속이니, 평지보다 낮은 기온으로 온갖 들꽃이 만발하여 기다리고 있기를 기대한다. 그곳이 깊은 산속이라고만 했지 정확한 장소는 어디가 될지 몰라 준비를 단단히 했다. 두툼한 침낭을 요와 이불로 대치하고, 부족하면 텐트 안에 난로 피워놓고 밤을 지내야 할지도 모른다.

'이번엔 어느 깊은 산속을 가게 될까?' 미리 묻지 않고 무작정 남편을 따라가곤 했어도 실망한 적이 없기에 이제는 많이 기대하게 된다. "어디 가고 싶은 곳 있어?" 엊그제 서울에서 지내는 남편이 전화로 이런 말했을 때, 어디든 당신이 정하는 곳이면 기쁜 맘으로 함께하겠다고 하였다. 내 대답에 남편은 이번 캠핑의 대략적인 계획을 들떠서 이야기했다. 작년에 여름휴가 가서 유성과 별을 보았던 곳에서 일행과 함께 1박을 하고, 다음 날은 우리 둘만 영

덕으로 가서 해물을 사서는 깊은 산속으로 갈 계획이란다. 자주는 아니지만 이렇게 함께 가기 시작하니 혼자 남겨져 외톨이가 되는 기분도 없고 또 같이 지내는 시간이 많아지니 좋다. 집에서와는 달리 텐트를 같이 치고 정리도 함께한다. 집에서는 가사 일이 온전히 내 몫이었지만 야외에서는 다른 풍경이다. 이러한 사소한 변화가 좋다.

작년까지는 주말을 각자 보내는 날이 많았었다. 남편은 거의 캠핑가고 나는 집에서 친구들과 영화를 보거나 공연을 관람하면서 지내는 날이 대부분이었다. 그러다가 이렇게 시간을 공유하는 기회가 많아지니 우선 둘이서 나누는 대화의 방식이 달라졌다. 말하는 톤이 부드러워졌다. 예전에는 서로 이야기하다가 마음이 상하면 서로 말 안 하고 며칠씩 지내면서 얼굴을 붉히게 되었고, 우리가 불편하면 딸아이들도 어정쩡하여 힘들어했는데, 요즘은 그렇지 않다. 말을 돌리지 않고 그 자리에서 불편함을 이야기할 수 있게 되었다. 나는 남편과 다른 내 의견을 이야기하지만 말하는 톤에 예전처럼 날이 서지 않는다. 그냥 당신의 배려 없음에 서운했고, 난 생각이 다름을 부드럽게 이야기한다. 신기한 것은, 예전에 강하게 내 주장을 할 때보다 내 의견이 더 잘 받아들여진다. 하여 부드러움이 강함을 이길 수 있다는 말의 의미를 알게 된다. 대화하는 방법을 따로 연습하거나 훈련받은 것은 아니지만 마음을 열고 받아들이려 노력하니 다툼이 줄어들었다. 얼마 전까지는 이렇게 부드럽게 다름을 이야기하는 방법을 몰라서 몇 날 며칠 싸우고 상처받고 힘들어 했는데…….

하늘에 별이 떠 있고, 바람이 시원한 야외에서 두런두런 마음을 여는 과정을 반복하니 요즘은 두 딸 앞에서 우리 부부가 다투는 모습을 보인 적이 거의 없다.

이렇게 남편과 좋아진 관계 때문일까. 요즘은 친구들을 만나면 내가 변한 것 같다고 말한다. 전보다 얼굴 표정이 훨씬 부드럽고 편안해졌단다. 결혼한 지 어느덧 30여 년이 되어간다. 같은 시선으로 별을 보면서 바람의 시원함을 이야기하면서 공통의 화제를 찾아가는 우리의 캠핑 덕에 친구들의 부러움을 사는 요즘이 좋다.

예전에는 친구들 만나면 남편의 장점보다는 단점을 이야기 하면서 나 속상하다, 힘들다 하소연하느라 상대방의 이야기에 귀 기울일 수가 없었다. 그런데 요즘은 내가 좀 편안해지니 내 이야기는 속으로 접어두고 내 친구의 이야기를 들어 줄 수도 있다. 그렇다 보니 친구들과 만남까지도 좋아지고 있다. 이렇게 되기까지 가끔 자연 속으로 들어가 쉬고 나오는 캠핑이 한몫을 했다. 이른 새벽 산새 소리가 깨워주면 자리를 털고 일어나 계곡을 흐르는 물을 따라 걷다가 적당한 곳에서 끊임없이 흘러가는 물을 보고 있자면 마음은 절로 겸손해지고 넉넉해진다.

이끼조차 없는 바위에 앉아 졸졸졸 물소리와 내 심장의 소리를 연결해본다. 숨을 조용히 쉬게 된다. 들이쉬고 내쉬는 숨을 따라 나는 점점 가벼워지는 느낌이 든다.

한참을 이렇게 있다 보면 어떤 때는 저 아래서 나를 찾는 남편의 소리가 들려 정신을 차리게 된다. 이제 오늘의 축제를 마무리할 시간이 온다. 천천히 아침을 해 먹고, 텐트를 걷고, 주변을 정리하고는 우리의 일상으로 돌아온다. 출발 할 때 기대가 있었다면 오는 길은 한없이 충만해진 마음으로 온다. 이 모든 것이 자연과 함께한 시간 덕이다.

달라진 상가 분위기

토요일 오전 게으름을 부리면서 베란다에 앉아있는데 카톡이 애사 소식을 알려준다. 초임지에서 같이 근무했던 친구의 어머님이 장고의 투병 생활 끝에 돌아가셨다는 내용이다. 조문 시간을 정하고 가능한 사람은 함께 모여서 어머님 먼저 보내는 친구를 위로해 주기로 하였다.

처음 낯선 곳으로 발령받아 모든 것이 어설프던 그때는 비슷한 나이의 교사가 자연스레 친구가 되었고, 퇴근해서 취침시간까지를 거의 공유하면서 주중을 보냈었다. 각자 학교 근처에 방을 하나씩 세내었지만 혼자 먹는 저녁보다는 같이 먹는 식사가 맛있었던 까닭에 저녁 식사를 모여서 했다. 식사 준비를 위한 시장보기, 다듬기, 요리하기, 상차리기가 한집에서 이루어졌다. 오늘은 이 집 내일은 저 집으로 집을 옮기는 재미도 있었다. 옮겨간 집 주인이 그날의 메뉴를 정하고 장보는 돈을 감당했다. 누가 말을 안 하고 순서를 정하지 않아도 자연스럽고 공평하게 돌아가서 불평하는 사람

없이 즐겁고 재미있는 저녁 시간을 보낼 수 있었다.

이렇게 보내는 저녁 시간은 밥 먹는 행위도 중요하지만 그보다 더 중요한 무언가가 또 있었다. 그날 하루 학교에서 있었던 여러 일들은 이야기하면서 하소연하고, 들어주고, 해결하지 못한 어려운 난제를 오고가는 두서없는 대화를 통해서 마무리 짓게 해 주었다. 거기에 내일 출근하고 진행해야 할 일의 방향을 결정해주는 중요한 모임이 되고는 하였다. 아직 결혼을 하지 않은 처녀 선생님들이 대부분 이었는지라 서로의 개인 사정을 호소하면서 도움을 구하고, 조언이 오고 가곤 했다. 그리고 주말에 집에 다녀와서는 각자 변화된 새로운 상황에 대한 다음을 또 서로 이야기하면서 각자의 꿈을 키워나갔었다.

많은 시간을 공유하면서 친형제보다도 더 가까이 지내던 동료 교사들이지만 해마다 3월과 9월에 있는 정규 인사이동에 의해 각자 새로운 학교로 옮겨가고 또 바삐 지내다 보니 그들을 잊고 각자 자기의 생활들을 이어가고 있었다.

그러던 중, 3년 전이었다. 대학교를 막 입학한 졸업생들이 동창회를 하면서 은사님들을 모시고 싶다는 연락이 왔다. 이게 계기가 되어 우리도 반가운 마음으로 서로 전화를 하고 소식을 전해서 만남을 갈게 되었다. 그 뒤로 자주 만나지는 못하지만 모임을 만들고, 회비도 자동이체하고 카톡으로 안부를 묻고 소식을 전하게 되었다.

서로 생활하는 곳이 서울, 경기, 충북, 심지어는 전라도로 다르다 보니 실제로 얼굴을 마주하기는 일 년에 두 번 정도 방학 때다. 그렇지만 이렇게 미룰 수 없는 일이 있을 때는 시간이 허락하는 사람만이라도 만남을 가지고 있다. 돌아가신 분의 가족들 슬픔이야 말로 할 수 없이 크고 우리도 상주를 진심으로 위로하지만 한편으로는 우리끼리의 만남을 위한 또 다른 시간과 장소를 갖게 된다. 조문을 마치면 누군가 차를 마실 수 있는 장소를 안내하고 그곳에 모여서는 기쁘고 반가운 표정을 짓고 서로를 마주하게 된다. 먼 길 되돌아가야 하는 일정이 기다리고 있지만 그간 변한 아이들 이야기, 남편 이야기, 시댁 이야기 등을 하면서 마음을 풀고 따뜻한 정을 나누는 시간을 갖는다. 만나지 않은 동안 밀린 이야기가 너무 많아서 우리 테이블은 이야기가 끝이 없다. 마음이 많이 풀어진다. 이야기는 밖으로 나갔지만, 그럴수록 마음은 넉넉하게 채워지니 정말 신기하다.

어른이 된다는 것이 이런 건가. 이제는 상가 조문 장소가 소식 전하지 못하고 만나지 못하던 사람들을 만나게 해주는 곳이 되어버렸다. 평소에는 바쁘다는 이유로 만나지 못하다가 누군가에게 어려운 일이 생겨 타인의 위로나 격려가 필요한 경우엔 먼 곳을 마다않고 달려가 손잡고 눈 맞추어 주면서 서로에게 힘이 되어 준다. 마주하여 눈 맞추고, 손잡는 것만으로도 우리는 살아가는 힘을 얻을 수 있음을 안다.

그날도 정작 먼 곳에서 온 사람들은 찻집에 남겨두고 조문할 곳이 또 있어서 나 먼저 일어나게 되었다. 먼저 일어난다고 전혀 원망하지 않고 "조심해서 운전해."라는 당부를 하는 그런 사람들이 내 주변에 있다는 것이 정말 좋다. 이제 겨울방학이 된다면 이 정겨운 친구들을 만나러 내가 서울이나 전라도로 가게 될 것이다. 그때는 슬픔은 없이 기쁨만으로 가득한 시간을 보낼 수 있기를 바란다.

나와 다른 사람

사람마다 주변의 사물을 대하는 방법도 다양하고 또한 발생한 사건을 처리하는 방식도 가지각색이다. 이처럼 여러 가지의 생각과 행동이 모여서 그 사람만의 독특한 성향을 만들어 가는 건지도 모른다.

얼마 전 아침 출근길에서의 일이다. 10여 년 동안 잘만 다니던 아파트 지하주차장의 경사면을 오르다가 직진하던 택시와 작은 충돌이 있었다. 정말 찰나의 부주의가 사고를 부른 순간이었다. 말만 듣던 차량 접촉사고를 내고 나니 정신이 하나도 없었다. 우선 상대 차량 운전사에게 "죄송합니다."라고 말하고 난 후 두 대의 차를 살펴보았다. 다행히 두 대 모두 약간 찌그러진 정도였다. 상대 차량은 개인택시이었고 아침에 출근하는 직장인을 태우기 위해 콜을 받고 우리 아파트로 와 손님을 태운 것이란다.

택시기사는 손님에게 양해를 구해 다른 차를 타고 가라 했고, 나는 서울에 있는 남편에게 전화로 도움을 요청하였다. 남편은 우선 나와 상대방의 안전 여부를 확인한 후 전후 사정을 듣고 보험회사에 연락해 줄 테니 기다리란다. 이어서 학교에 전화를 걸어 접촉사고가 나서 출근이 늦어지니 오전수업을 바꾸어 달라 부탁하였다.

드디어 양쪽에서 기다리던 사람이 차례로 오고 사고처리에 들어갔다. 자세한 것은 관례에 따라 처리하고 병원에 갈 사람이 없다는 것에 대하여 다행임을 이야기하면서 내 편에서 온 담당 직원이 돌아갔다.

그런데 보험회사에서 나온 사람이 떠나자 상대편 기사는 자기가 적어도 이틀은 일을 못 할 것이니 그것을 내게 보상하란다. 의외다. 난 종합보험에 가입이 되어서 그런 건 모두 보험회사에서 처리할 문제라고 생각했는데 이 기사는 다른 말을 한다. 보험회사에서 지급해주는 일당이 턱없이 부족하니 사고 원인 제공을 한 나에게 금전적인 보상을 더해 달라 요구하는 것이다. 난 혼자서 결정할 일이 아니니 남편과 상의 해보고 연락하겠다고 했다. 택시회사에서 나온 또 다른 사람도 기사분의 요구가 과한 것은 아니라는 입장이었다. 연락을 하겠다고 한 후 떨리는 마음을 가다듬고 찌그러진 내 차를 타고 출근하였다.

출근하니 다들 걱정과 위로의 말을 건넨다. 무슨 일이 일어나면 함께 걱정하는 것이 우리네의 일상이니 그저 고마운 맘으로 하루를 보냈다. 퇴근하려 교무실 문을 나서는데 가까이 지내는 교사가 부르더니 '청심환' 한 병을 건네준다. 얼마나 고마웠는지…. 순간 따뜻한 마음이 커다랗게 다가왔다.

저녁에 남편에게서 다시 전화가 왔다. 궁금하고 걱정되어서 하는 전화이려니 생각에 미안하기도 하고 사고 당시의 무서움에 목소리가 절로 떨려 나온다. 이야기를 하다가 택시기사가 요구한 현금 보상에 대한 이야기를 꺼냈다. 남편은 일언지하에 말도 안 되는 소리란다. 이후에 그쪽에서 연락이오면 모든 건 보험회사에서 처리하는 것이라 말하고 대꾸하지 말라고 했다.

그게 쉬운 일이 아닌 것을 남편은 왜 모르는지 답답하다. 결혼하고 남편과 생활하면서 가장 많이 부딪힌 부분이 이런 것이다. 어떤 일이 발생했을 때 그는 교과서에 나온 대로 행하려 한다. 이번에도 택시기사에게 보험회사에서 정한대로 지급되니 우리가 더 챙겨줄 부분이 없다는 것이다. 그런데 내 생각은 다르다. 그 기사가 이삼일 영업을 못할 것은 사실이고 내 잘못이 많다는 생각이 들어 고민고민 하다가 그가 원하는 현금을 입금하였다. 내 딴에는 잘하느라고 택시조합에서 나온 사람에게 병원에 가지 않겠다는 약속을 보증하라고 했다. 그런데 그게 어설프기는 한 것 같다. 남편이 알면 또 난리를 치겠지. 남편은 나의 작은 행동 하나가 이 사회 전체에 나쁜 부조리를 조장하는 것이니 동조하면 안 된다는 것이다.

뭐가 옳은 걸까. 세상을 사는데 정답은 없다고 하지만 이번 일에 정답은 무엇일까. 규정 이외의 돈을 달라고 한 택시기사는 어떤 마음일까. 어리숙해 보이는 나에게는 요구할 수 있고 강한 어조로 나오는 남편에게는 말할 수 없는 현금 보상 문제에서 기사가 갖는 당당함은 무엇일까. 세상을 현명하게 산다는 것이 정말 어렵다는 것 하나를 배울 수 있는 접촉사고 처리 과정이었다.

약속

골프를 시작한지도 벌써 십 년이 넘었다. 처음 레슨 시작하던 날부터 지금까지 들은 꾸지람과 핀잔을 생각하면 그저 웃음만 나올 뿐이다. "몸이 저렇게 굳어서 어떡해? 시선을 공에 집중해야지. 클럽이 먼저 나가야지 왜 몸이 먼저 일어나요?" 등등….

그렇지만 나름대로 즐겁고 재미있게 연습에 임하였고 처음보다 지금은 조금 나아졌다. 하지만 아직 갈 길이 멀다는 것도 알고 있다. 처음 시작하기가 많이 힘들었던 운동이다. 다른 운동은 내가 하고 싶은 맘에 선뜻 달려들어 레슨 받고, 준비물 챙기고 하였지만 이건 사정이 좀 다르다. 나보다 몇 년 먼저 시작한 남편이 친구들 부부가 함께하는 모습이 부럽다며 같이 하자고 성화였다. 하라하라 말로 해서 안 되겠던지 클럽을 세트로 미리 다 사놓았다. 그러면 하겠지 했는데 이번에도 내가 꿈쩍을 하지 않았다. 그랬더니 개인 레슨비와 연습장 사용료 1년 치를 선불로 지불하고는 나에게 시작하라고 통보한 것이 계기가 되어 시작하였다. 돈 아까운 마음에 내가 연습장을 나가기 시작하니 남편이 한 가지만 약속하라고 한다. 골프는 오랫동안 배워야 하는 운동이니 중간에 절대 그만두지 말라는 것이다. 남편 주변에 어렵게 시작해놓고 얼마 지나지 않아서 재미가 없고, 노력한 만큼 나아지는 성과도 안 보여서 중단하는 사람들을 여럿 봤다며 하는 걱정이었다.

하지만 남편 걱정과 달리 난 이 운동에 묘한 매력을 느꼈다. 사람마다 자기가 좋아하는 것에 대하여 느끼는 감정은 각기 다른 것이다. 내가 갖은 가장 큰 메리트는 혼자서 연습을 할 수 있다는 것이었다. 연습장에 도착하여 혼자서 전날 배운 내용을 기억하면서 공을 때리고 있으면 담당 프로가 와서 10여 분 다시 동작을 지적하고 정리하여 준다.

그다음부터는 오로지 나 혼자다. 이렇게 저렇게 공을 치다 보면 어떤 때는 내가 상상한 것보다 훨씬 더 멋지게 날아가 가슴이 후련해지고, 어떤 때는 소위 뒷땅을 쳤다 해서 팔만 잔뜩 아프고, 공은 눈앞으로 뚝 떨어지고 만다. 다시 정신을 집중해서 해 보지만 그게 내 맘대로 되는 건 절대 아니다. 그러니 골프고, 그러니 운동이지만 그래도 너무하다는 생각이 들 때가 많다.

스스로 이런 자괴감이 들어서 허리 펴고 주위에서 연습하는 사람들을 둘러보면 다들 잘하고 있다. 앞에서는 모르는 사람이 친 공이 딱! 하는 소리와 함께 멀리 날아가면서 아주 멋진 포물선을 그리다 땅에 닿는 것이 눈에 들어온다. 내 부러움은 공에 눈을 두고 시선을 따라가게 된다. 아마도 저 공이 감정을 느낄 수 있다면 날아가는 하늘에서 스스로 행복한 마음이 들 수 있겠다는 생각이 다 들 정도로 멋있게 날아간다. 공을 친 사람까지 멋있게 보인다. 저 맑은소리를 나도 낼 수 있다면 좋겠다. 부럽다. 하지만 여기 까지다. 그건 내 영역이 아니다. 나는 오늘도 삑사리 내면서 내 앞에 나오는 공을 내 힘껏 쳐 낼 뿐이다.

아주 가끔은 내가 쳐 내는 공을 보고 '굿샷!' 소리를 해 주는 누군가도 있다. 그러면 잘못 친 90여 개의 공은 다 용서가 된다. '그래 내일은 더 잘할 수 있을 거야.' 나에게 격려하면서 공을 친다. 공과 함께 마음속에 들어 있던 응어리도 쳐낸다. 가슴이 시원해질 때까지…. 팔이 아프고 이마에 송글송글 땀방울이 나면 하루의 운동을 정리하고 클럽을 챙겨 지친 몸 대신 후련해진 마음으로 돌아온다. 가끔 4명이 팀을 짜서 필드로 나가기도 한다. 함께한 동반자들은 오늘의 기록은 얼마나 될지 기대하고 욕심을 낸다. 난 어차피 타수는 포기하였으니 그들보다 더 많이 하늘을 보고, 새소리 듣고, 즐거이 이야기하면서 초록색 잔디밭을 걷게 된다. 그게 나에게 골프라는 운동이다. 이제 10여 년을 끊이지 않고 클럽을 만졌으니 시작할 때 남편과 한 오랫동안 한다는 약속은 지켜진 것 같다. 여기에 다음에는 좀 더 나아지겠지 하는 내 작은 소망을 하나 더해 본다.

직장 생활을 마무리하고 남은 생을 이 운동을 하면서 친구를 만나 이야기하고 운동이 끝난 다음에는 맛난 것 먹으면서 나를 돌아보는 시간을 갖는 여유를 가지며 살고 싶다. 뭔가 놓지 않는 하나의 끈을 갖고서 나태해지지 않으려 노력하는 내 모습을 지켜주는 역할을 이 운동에서 찾을 수 있다면 어렵게 배운 운동이 보람 있지 않을까 조심스럽게 생각해 본다.

봄과 함께 온 소식

작년 따뜻한 봄날 정말 어렵게 모여서 친구들과 함께 제주도로 여행을 다녀왔다.다들 수다 떨며 하는 저녁 식사 도중에 밥 먹는 모습이 좀 이상하다 마음속으로만 생각하게 하는 친구가 있었는데 한참 후 이 친구가 조심스럽게 말을 했다. “사실은 파킨슨병을 4년 전에 진단받았고, 지금은 열심히 치료 중이야.” 하는 게 아닌가. 다들 얼마나 놀랐던지…. 이 친구는 네이버 개인 블로그를 운영하면서 사진 찍는 취미 생활을 하고 있는데 셔터가 자꾸 움직여 사진 찍는 것까지 신경 쓰인다고 한다. 그런 이야기를 들으면서 싱싱한 제주산회와 소주를 먹는 저녁식사 시간이 흥이 날리는 없었지만 우리는 내색하지 않으며 애써 태연한 척했다.

고등학교 졸업 후 대부분 대학에 진학했던 친구들과는 달리 이 친구는 엄마와 동생들을 위해 직장을 택해야 했다.

고등학교 때 친하게 지내던 다른 친구들은 새봄을 대학캠퍼스에서 보내고 있을 때 이 친구는 가족을 위해 생활전선에 있었다. 그 당시 많이 팔리던 유아용 책 안내서를 두 손에 가득 들고 거리를 걷다가 기저귀 널려있는 집이 보이면 초인종을 누르고 들어갔단다. 신기한 것은 그렇게도 어렵다고 하는 할부 책 판매를 생면부지의 사람들에게 잘 팔았다. 친구에게는 사람의 마음을 알아주고 공감해주는 따뜻한 마음이 있어서 그랬을 거다.

그렇게 해서모아 놓은 돈이 뭉칫돈이 될 만하면 기다렸다는 듯이 나갈 곳이 생기곤 했다. 그때마다 친구는 그 돈에 미련을 두지 않고 친정의 어려움을 해결하곤 했다. 그렇게 지내다가 청주 일을 정리하고 생면부지 송도 신도시로 이사해서 어린이 학원을 개원하였다. 그곳에서도 이런저런 시행착오를 겪기는 했으나 학원을 하나씩 확장해 나가며 성공하여 우리의 부러움을 사기도 했다. 지금은 유치원, 초등학생 대상의 학원을 분야별로 대여섯 개를 운영하고 있다. 주변의 도움 없이 혼자서 사업체를 일구기에 얼마나 힘이 들었을까. 우리는 매번 만나면 그 친구의 속사정은 잘 모르고 겉으로 나타난 번성함과 화려함을 보고 부럽다, 대단하다, 하면서 감탄하고 칭찬만 했었다.

그 모든 힘든 일들을 속으로 삭이고 마음 정리하기 위해서인지 사진 찍는 것에 재미를 붙여 시작한 블로그 활동도 꽤 열심히 하고 있다. 그 친구의 사진에는 하늘이 있고 여백이 있어 보고 있노라면 그냥 숨 한번 크게 내 쉴 수 있는 여유가 들어있다. 나도 가끔 친구가 카톡으로 보내준 코스모스 사진이나 저녁노을 사진을 보면서 혼자 미소 지으며 시간을 보낼 때가 많다.

제주도 여행을 마치고 집으로 와서는 컴퓨터를 켜고 파킨스병에 대한 정보를 검색해보았다. 파킨스 병은 난치병이고, 서서히 진행되는 병이고 등, 내가 이미 아는 이야기만 있지 우리가 정말 원하는 병의 치료를 위한 뚜렷한 대안은 없었다. 심지어는 이 병의 끝은 죽음이라는 내용도 있었다. 남편에게 친구 이야기하면서 뭔가 도울 방법이 없을까를 궁리하였지만 안타까운 마음과는 달리 내가 나설 일은 없었다. 검색한 내용에서 알게 된 것이 있다면 일하는 과정에서 얻는 '정신적 스트레스'가 가장 이 병의 치료에 안 좋다는 것이다. 남편이 말한다. "당신도 쓸데없이 작은 일에 일일이 신경쓰지 말고 제발 맘 편하게 생활해, 당신 갑상선도 역시 스트레스가 문제야." 하며 내문제로 돌아오는 것 말고는 할 수 있는 게 없었다.

'혼자서 얼마나 힘이 들었으면 그런 병에 걸렸을까?' 안타까워하면서 세상살이의 어려움을 혼자 이겨내는 아픔은 모르고, 겉으로 드러난 사업 번창만을 보며 부러워한 내가 그동안 친구에게 무심했다는 생각이 들었었다. 물론 친구에게도 남편과 가족이 있지만 가족에게서 얻는 위안이 사업하는 어려움을 해결해 주지는 못하였나 보다.

친구도 학원을 운영하면서 혹 주변사람에게 상처를 줄 수도 있었겠지만 멀리 있는 난 자세한 내막은 모르니 '누가 내 친구 속을 저리 썩여 그리 심한 병을 얻게 만들었을까?' 하는 막연한 원망만 생겼었다. 병원 다녀왔다는 전화 받으면 "그래 조심해."라는 말밖에 할 수 없고 그런 날은 괜히 인터넷을 여기저기 뒤적이면서 이 병에 좋은 소식 나온 것이 있나 찾아보며 맥없이 컴퓨터 앞에 앉아

있다가 '정신 차리자' 하면서 전원을 끄는 수밖에 할 일이 없었다.

그런데 얼마 전 전화벨이 울려서 보니 이 친구였다. 식사 중이라 다른 전화는 수신 보류를 눌렀었는데 늘 마음에 걱정하고 있는 사람에게서 온 것이라 얼른 통화버튼을 눌렀다. 그런데 "동원아, 나 병원 다녀왔는데 좋아져서 이제 정기검진 안 해도 된대." 하며 울먹이는 소리가 들려왔다. 순간 나도 너무나 놀라서 큰소리가 나온다. 친구의 지나간 모습이 이것저것 떠올랐다.

이제 병원에 그만 가도 되고 약도 그만 먹어도 되고 하고 싶은 것 다 해도 된다는 의사의 최종 처방을 받았다니 하나님이 열심히 살아가고 있는 친구에게 준 아주 커다란 축복인가보다. "너는 그간 성실히 일하며 살았으니 신이 도우신 거다. 이제 남은 생은 주변에 좋은 일 더 많이 하면서 살아라."라고 당부했다. 이 친구에게 주신 신의 선물이다. 친구가 받은 병의 완치는 세상을 노력하면서 살아온 사람만이 누릴 수 있는 특권 같다는 생각이 든다. 이제는 정말 좋은 일만 친구와 친구 가족에게 생겨서 많이 웃고 사랑하면서 살기를 빈다.

내 꿈은 무엇일까

올해 발령받아 온 새내기 교사가 점심식사 후 같이 산책하자고 말을 건네 온다. 그 말이 반갑고 좋아서 그와 약속한 운동장 한옆으로 나갔다. 밝고 환한 모습으로 걸어 나오는 그 선생님의 모습에 문득 내 젊은 날의 모습이 아련하게 떠올랐다.

천천히 걸으면서 나에게 이렇게 오래 직장에 다니고 있는 것이 지루하지 않으냐고 웃으면서 묻는다. 발령받았을 때 어떤 기대가 있었느냐고 선망의 시선으로 묻는 초임 선생님 앞에서 선뜻 대답할 말이 생각나지 않았다.

뭐가 있었지?

저 새내기 교사처럼 풋풋하고 어렸을 때 나의 꿈은 무엇이었을까?

어떤 꿈이 나를 나답게 빛나게 하는 것이었을까?

나를 잃어버리지 않고 학생들에게 손가락질 받지 않고 내 수업시간 만큼은 두 눈 크게 뜨고 집중하도록 재미있는 시간을 만드는 것. 아이들과 눈 맞추면서 하루하루 돌아보면서 보기만 해도 푸근하고 우아한 분위기를 만들 줄 아는 선생으로 변해가는 것이 꿈이었는데…. 지금은 어떤 모습으로 남아있는 건가? 간혹 아직 현직에 있는 친구들과 만나면 우린 얘기 끝에 나태하고 게으른 모습으로 남지 말고 부지런히, 열심히 수업하자고 이야기한다. 생활지도 잘하여 학생과 학부모에게 즐거움과 기대를 주는 교사로 남아있자고 다짐하기도 한다. 이런 다짐 속에는 나이 많은 여선생이라는 칭호가 듣기 싫은 속마음이 더 크다는 것을 다른 사람은 알까?

내가 처음 교단에 설 당시에는 지금의 나처럼 나이 많은 여교사가 그리 흔하지 않았었다. 그리고 나 역시도 이렇게 오랜 시간 현직에 있으리라고는 생각 못 했었다. 길어야 20년 직장 생활하고 나면 그 후엔 다른 일을 하게 될 줄 막연하게 생각을 하고 있었으니까.

그때는 다들 그렇게 생각하던 시절이었다.

원대한 꿈을 갖고 시작한 교직생활은 아니었지만 그동안 나름 열심히 하루하루 지내왔다. 그래도 참 오랜 시간 지났다. 지치지도 않았고 나를 포기하지도 않았다. 더 좋은 수업 방법을 적용하기 위해서 좋은 연수 찾아 공부하였고, 공부한 내용을 동료교사와 얘기하면서 아이들에게 다가가기 위해 노력하였다. 나만 그런 게 아니고 내 주변에는 나보다 더 많이, 더 열심히 공부하는 선생님들이 많이 있다. 그 사람들과 함께 모임 만들어 이야기하고, 반성하면서 나를 더 채찍질 하였다.

두 딸이 어렸을 때에는 주말에만 집에 오는 남편 때문에 혼자서 아이 키우기 힘이 들어 속상하기도 하였다. 다행히 친정과, 시댁이 가까이 있어 내가 도움을 요청하면 모두 흔쾌히 손을 잡아주시곤 했다. 부모님들 덕에 지치지 않고 지금까지 학교로 집으로 출퇴근

할 수 있었던 원동력이었음을 알고 많이 감사한다.

이제 주변에서 내가 직장 생활하는 것을 어렵게 할 여러 제약들은 거의 없어졌다. 나만을 다독이면서 지내면 된다. 그동안에는 저녁에 시간 내기 힘들어 미루어 두었던 학생들과 상담도 더 많은 시간을 가지며 공유할 수도 있다. 학생들 하교 후 몇 명 남겨 개인적으로 어려운 상황이 무언지, 학교생활에 적응하기 어려운 부분이 있는지를 눈 맞추고 마주 앉아 들어줄 시간도 생겼다.

힘든 시간들이 어렵게 지나갔으니 퇴근 후 취미생활을 찾아 즐겨도 탓할 사람 없이 모두 격려해주는 사람이 주변에 많으니 다행이다.

더 늦기 전에 내 꿈을 찾아야지. 직장을 정리하고 나간 후에는 남은 시간을 바쁘게 보내면서 내가 할 수 있는 일을 찾아서 주변에 짐이 되지 않고 지낼 수 있기를 바란다.

젊은 사람들과 한자리에서 차 마실 때 대화의 흐름을 깨뜨리지 않고 이어나갈 수 있도록, 사회의 여러 문제에 꾸준히 관심의 끈을 놓지 않으려 한다. 덧붙여 관련 책을 찾아보고 필요한 지식을 갖추도록 노력하는 자세도 필요할 것이다. 다음은 몸을 건강하게 가꾸는 노력도 필요하다. 지난번 친구와 함께 생활 체육 협의회에서 진행하는 체력검사를 해 보니 거의 모든 영역의 운동능력이 평균보다 떨어지고 있었다. 검사 후 상담에서 이제는 유산소 운동보다 꾸준한 근육운동이 필요하다고 처방을 받았다. 운동이 부족한 걸 알긴 하겠는데 막상 운동을 몸으로 한다는 것이 쉽지 만은 않다. 부족한 걸 아니 더 노력해서 주변에 짐이 되지는 말아야지. 행복한 노년을 보내기 위한 나 나름의 준비이다.

마음 나누기

잔잔한 파도 소리를 따라 선홍색 동백꽃잎이 바람에 날리는 바닷길을 기분 좋게 가다 보니 어느 순간부터 차가 밀리기 시작한다.

이 남쪽 바다에서도 이렇게 차량이 많을 수 있나 생각하며 주위를 돌아보니 반대편 차선도 밀리고 있다. 내비게이션을 보니 도착지인 공곶이까지 약 2km 남았다는 표시가 나온다. 조금만 예쁘다고, 신기하다고 소문이 나면 대한민국 어디에나 이렇게 사람이 넘쳐난다. 아름답고, 예쁜 꽃을 보고 싶은 마음은 저들이나 나나 같을 거란 생각을 하니 짜증 대신 공곶이 수선화에 대한 기대를 키운다.

남편은 3월 첫 주 해금강 사자바위의 일출을 멋지게 촬영하고 난 뒤에 뭔 미련이 남았는지 이번에도 이곳으로 캠핑을 왔다. 이번 주 금요일 연휴에 좋은 계획을 세워 보라 했더니 신이 나서 고르고 고른 여행지가 이곳 거제도이다. 전에 하던 캠핑과 다른 것이 있다면 이번에는 산이 깊어 아무도 없는 곳이 아니고 바닷가에 있는 자동

차 캠핑장이 우리의 야영지가 되었다. 얼마 전에 인터넷으로 이틀 예약을 해 놓고 남편은 기분이 좋았다. 신이 난 남편을 따라 나도 함께 이번 여행에 대한 기대로 한 주가 쉽게 지나갔다.

어제 오후에 도착하여 텐트치고 산책하면서 바닷가 거닐며 저녁을 보냈다. 몽돌해변의 파도 소리는 동해안 백사장에서 듣던 소리와는 느낌이 다르다. 잔잔한 파도와 함께 몰려온 물이 해안가 돌에 부딪히며 사르르 빠져나갈 때 나는 소리는 뭐라 표현은 못 하고 그저 신기할 뿐이다. 남편이 먼저 그 소리의 차이를 발견했다. 지금까지 이런 소소한 이야기는 대부분 내가 꺼내면 남편은 그저 미소로 동의해주는 경우가 많았는데 이번에는 바뀌었다는 사실에 오늘은 내가 살포시 미소 짓게 되었다. 이 남자와 이렇게 정겨운 시간을 가지며 살게 되었다는 것이 마냥 신기하다. 몇 년 전까지만 해도 참 많이 다투며 지냈었는데, 어느 순간부터는 예전엔 다투었을 일도 웬만하면 큰소리 안 내고 넘어가게 된다. 그게 삶의 지혜인가 보다. 아니면 나이 들어가는 시간의 값인가 싶기도 하고….

오늘 아침 일만 해도 그렇다. 새벽에 일어나 남편은 카메라 들고 나가고 난 잠시 후 일어나서 해 뜨기 전의 찬 공기를 맞으며 산책을 하고 들어왔다. 새벽 바닷가에 나가보니 해변에서 카메라 들고 해와, 바다, 그리고 몽돌해변의 풍경을 렌즈 안에 담고 있는 남편의 모습이 저만큼 보였다. 습관처럼 그를 향해 가다가 집중을 방해할지 모른다는 마음에 내가 다가가지 않는 것이 좋겠다는 생각이 들어, 나는 반대편으로 발걸음을 옮기며 혼자서 아침 바람과 산책을 즐겼었다. 지금 생각해도 잘한 일이다. 함께 왔지만 각자의 시간을 즐길 수 있다는 것을 서로 이해하고 인정해주는 여유가 생긴 것이다.

느긋하게 아침 시간을 즐기고 있는데 캠핑장 관리인이 다가와 점검을 한다. 그런데 아뿔싸!

우리가 예약한 장소가 아니란다. 어제는 금요일이어서 캠핑장에 사람이 적었고 텐트 친 자리에 예약자가 없었기에 충돌이 없었지만 오늘은 이곳에 올 사람이 있으니 우리가 머물기로 한 자리로 옮기란다. 절로 한숨이 나왔다. 이 많은 짐을 어떻게 옮기라고 …. 그래도 우리가 잘못을 했으니 옮겨야지. 머리로는 말이 되는데 몸은 영 엄두가 나지 않는다.

예약한 장소를 정확하게 기억하지 못한 남편에게 화는 나는데 겉으로 표시를 하지 않았다. 장소를 잘 못 기억한 남편이 나보다 더 민망할 텐데 거기에 나까지 한 수를 더할 필요는 없다는 생각이 든 것이다. 짜증난 내 마음을 겉으로 나타내지 않은 게 얼마나 다행인지….

잘했다 못했다 따지지 않고 그저 천천히 조심조심 하나씩 옮겨 나갔다. 정해진 우리 자리까지는 약 100m 거리가 되어 보인다. 거기까지 작은 것은 손에 들고, 좀 큰 것은 차에 싣고 몇 번을 왔다 갔다 하며 짐을 옮기고, 정리하면서 오히려 내가 남편을 위로했다. 짜증내지도 않고, 어제 왜 꼼꼼하게 챙기지 않았는지 원망도 하지 않고 그저 이런 일도 있네 하면서 두 손 가득 물건을 들어 날랐다. 두어 시간 열심히 움직이니 작은 이사가 끝났다. 새 야영지에 짐

정리 끝내고 인터넷 방송을 들으며 커피를 마셨다. 여유가 생기니 웃음이 난다. “이런 실수는 지금껏 내 몫이었는데 당신도 실수를 하네.”라고 말하니 “그러게.”하며 남편도 함께 웃는다. 화내지 않는 내게 고마워하는 것이 보인다. 말 안 해도 그냥 느껴진다. 이런 걸 이심전심이라고 해야 하나?

잠시 휴식 시간을 갖은 뒤에 오늘의 거제도 탐사 여행에 들어갔다. 바람의 언덕, 사자바위, 신선대를 거쳐 마지막으로 공곶이에 가려는데 차가 막히어 늦어지고 있는 거다. 차가 밀려 시간이 좀 늦어져도 괜찮다. 우리는 오늘 멋진 경관을 많이 보았고 충분히 즐거웠으니….

공곶이 주차장에 차를 대고 산길을 30 여분 걸으니 기다란 동백꽃 터널을 지나니 신세계가 보였다. 노란 수선화 밭이 바다와 어우러져 한없이 넓게 펼쳐진다.

한 포기 한 포기 이어진 수선화 밭에는 노란색 꽃과 나지막한 초록색 줄기가 어우러져 보는 이들의 눈을 빛나게 해준다. 멋있다! 이 너른 밭을 일구었다는 노부부의 이야기가 떠오르며 만나지는 못했지만 고맙다는 말이 저절로 나온다. 고맙고 감사하다. 우리에게 이런 멋진 비경을 보여주기 위해 그 두 분은 얼마나 많은 고생을 하셨을까 생각해보니 절로 고개가 숙여진다.

좋은 환경 / 올갱이국 / 고마운 사람들 / 죽을 쑤면서

오래된 사진 속의 엄마 / 고추장 담그기 / 부녀회 메주 만들기

이제 곧 딴 세상 / 혼자 본 영화

제 6 부

올갱이국

좋은 환경

커피를 타서 소파에 앉았다. 오늘은 모처럼 한가로운 주말이다. 잔 위로 피어오르는 흐릿한 김을 보고 커피를 마시며 거실에 자리한 화초들을 바라본다. '스파트필름' 이 초록색 이파리들을 아래로 축 늘어뜨리고는 '주인님 제가 목이 마릅니다.' 하는 게 아닌가. 애처롭다. 그 옆에 있는 '천냥금' 도 애처롭기는 마찬가지다. 새잎을 피우지 못하고 가느다란 줄기에 있던 이파리마저 축 늘어져 있는 거다.

세상에! 내가 너무 무심했나, 벌떡 일어나 화초들을 베란다로 옮겨놓고 물을 듬뿍 준다. 속까지 시원하다. 다행히 난초는 이상 무다. 난초의 경우 잘 가꾸겠다고 자주 물주고 손길을 주다 보면 오히려 죽는다는데 바쁘게 사는 나로서는 그런 특성이 고마울 따름이다. 물을 먹은 스파트필름은 다시 싱싱해질 것이다. 그런데 '천냥금' 이 걱정이다. 가을이면 빨간 열매를 맺어 기쁨을 주기도 하더니 웬일일까. 안타까운 마음에 다른 날보다 물을 더 주고는 한참을 앉아 바라본다. 지금껏 잘 지냈는데 이게 무슨 일인지 아무리 살펴보아도 이유를 알 수가 없다.

천냥금은 12년 전에 선배가 새 아파트로 이사 올 때 입주선물로 가져온 거다. 선배의 마음인지라 유달리 정성을 다해 물을 주었더니 탈 없이 자라기에 우리 집이 식물들이 자라기에 괜찮은 환경이었나보다 라고 생각했다. 그런데 무슨 이유인지 모르겠다. "부자 되라고 천냥금을 사온 거야." 하고 말하던 선배 모습이 떠오른다. '뭐가 안 좋았을까? 다른 화분은 잘 견디어 내고 있는데….' 갑자기 초조해진다. 근심에 젖어 바라보다가 도움을 받고자 인터넷을 검색해 본다.

이곳저곳 돌아다니는데, '너무 잘해서 경질'이라는 한 기사가 눈에 띄어 머문다. '너무 잘해서 경질?' 낯선 이야기라 자세히 읽었다. 유럽의 어느 나라 유소년 축구팀 이야기다. 그 축구팀이 한 경기에서 24대 0으로 이겼단다. 그런데 너무 큰 점수 차를 내며 이기어 상대 팀에게 심한 상처를 준 것이 잘못이라 감독을 경질했다는 거다. 아직 어린 소년들인데 즐거워야 할 운동에서 상대 팀에게 모멸감을 느끼게 했기 때문이란다. 우리네 정서와는 너무 다른 이야기다.

운동경기에서까지 상대방을 배려하는 걸 가르치니 그런 나라 아이들은 커서도 나만을 생각하지 않고 주변을 돌아보면서 여유를 갖고 사는 너그러운 어른으로 자랄 수 있을 것 같았다. 댓글이 많이 올라왔다. 말도 안 된다, 그럼 일부러 점수를 조절해가며 거짓 축구를 가르치란 말이냐, 아이들에게 거짓을 가르치는 것은 옳으

냐, 등 의견이 분분하다. 하지만 나는 상대방을 배려하지 못한 감독에게 벌을 주고 어른들에게 보호받고 살아가는 그 나라의 어린이들이 부러웠다.

한갓 식물들도 자기를 정성으로 돌보고 좋은 환경을 만들어 주어야 시들지 않고 각자의 색을 드러내면서 잘 자랄 수 있는 것을, 하물며 사람이야. 화초들을 대하는 내 정성이 부족했나 보다. 물을 자주 먹어야 사는 식물이 있는가 하면 물을 자주 주면 죽는 화초도 있는 것을, 너무 일률적으로 대했다. 바쁘다는 핑계로 내 편한 방법으로 대해왔다. 화초들 각자가 지닌 특성을 공부해 가면서 가장 좋은 환경을 만들어 주도록 배려하여야 하는데 말이다. 잘 가꾸지 못했음에도 철마다 하얀 꽃을 피우고, 새 촉을 내며 자라준 화초들이 새삼 소중하게 느껴진다.

천냥금에 대한 정보를 수집했다. 봄에 꽃이 피고 가을에 빨간 앵두 같은 열매를 맺는 천냥금은 물을 자주 주어야 한단다. 화분에 흙이 마르기 전에 일주일에 한 번 정도 주고 겨울에는 열흘에 한 번 정도 주는 것이 좋다고 한다. 그런데 오늘처럼 시들어 고개를 늘어뜨린 것을 볼 때 부랴부랴 물을 주곤 했다. 그런데도 천냥금은 사랑스러운 열매를 달고 기쁨을 주곤 했다. 그렇게 오래 기쁨을 주어도 주인이 깨닫지 못하니까 반란을 일으킨 건 아닐까. 보호받고 배려 받는 아이들이 행복하게 자라나듯이 우리집 천냥금에게 지금부터라도 더 좋은 환경을 만들어 주어 주인에게 보호받고 있음을 알려주어야겠다.

올갱이국

4월에 있을 1학년 수련 활동을 위해 답사에 나섰다. 내가 근무하는 세종에서 괴산에 있는 '청소년수련원' 근처까지 왕복 4차선 도로가 시원하게 이어진다. 수련원에 도착하여 잘 가꾸어진 정원을 둘러보았다. 겨울 끝자락이라 그런지 나무에 새싹이 많이 보이진 않는다. 그런데 여기저기에 서 있는 목련 나무들 봉오리 솜털이 눈길을 끈다. 작은 꽃봉오리들이 앙증맞은 모양으로 가지 끝에서 얌전히 고개를 내밀고 있다. 시간의 흐름에 순응하는 자연이 경이롭다.

담당자를 만나 아이들이 묶게 되는 숙소, 식당, 강당 등 여기저기 정성껏 살펴보았다. 아이들의 부푼 마음을 한껏 채워 줄 수 있는 프로그램으로 운영해 달라고 부탁한 후 돌아섰다. 돌아오는 길에 동행한 동료와 함께 괴산 대표 음식 올갱이국을 먹고 가려고 기억을 더듬어 예전에 가족과 함께 갔었던 식당을 찾아갔다. 국물이 정말 시원하다며 맛있게 먹는 동료의 모습을 보다가 금요일이니 서울에서 내려올 남편 생각이 나서 아침에 잡아다 놓았다는 올갱이를 한 사발 샀다.

펄펄 끓는 물에 된장을 풀고 깨끗이 씻은 올갱이를 넣어 한참 삶았다. 올갱이들을 건져 남편과 아이들에게 바늘을 내주며 까라고 했다. 평소 집안일을 부탁하면 다들 시큰둥한데 웬일로 이일은 기꺼이 한다. 맛있는 국을 기대하는 마음을 헤아리며 야채를 다듬고 간을 하노라니 옛날 일이 떠올라 마음이 무겁다.

내가 중학교에 다닐 때였다. 부모님께서는 봄이면 친구분들과 올갱이를 잡으러 가시곤 했다. 저녁에 우리 남매들은 지금의 남편과 딸들처럼 둘러앉아 올갱이를 깠다. 잘 삶아진 올갱이 살을 바늘로 콕 찌른 뒤 빙 돌리면 파란 살이 쏙 빠져나온다. 어머니는 그때 일을 자주 말씀하신다. 부부 동반해서 올갱이를 잡던 그때가 가장 행복했다고 하신다. 가정적이지 않고 밖의 일에 더 맘을 쓰던 아버지가 봄철 올갱이 잡이 행사에는 기꺼이 어머니와 동행하셨단다. 어머니는 지금 올갱이 잡을 기운도 없고 그때 함께하던 친구분들과 만남도 거의 이어지지 않고 있다.

그래도 어머니는 기억이 맑으셔서 그 시절을 추억하며 그리워하실 수 있으니 다행이다. 아버지는 그마저도 추억하지 못하신다. 아버지는 아무 기억이 없다. 그저 살아만 계신다. 치매라는 무서운 병을 얻어서 요양원에서 생활하신다. 어머니 혼자 도저히 감당할 수가 없게 된 것이다. 아버지는 이 맛을, 우리와 함께 먹었던 음식들을 기억하지 못하고 단지 지금 눈앞에 보이는 것만 말씀하신다.

지난 주말에 아버지를 뵈러 갔을 때였다. 나는 알아보시는데 함께 간 아버지 손녀딸은 알아보지 못하시는 거다. 나는 하염없이 울었다. 어머니가 아버지를 만나고 오시는 날이면 내게 전화를 하신다. 네 아버지 입은 옷은 어떻고 뭐를 사다 주었더니 좋아하시고, 하시다가 끝내 울먹이며 전화를 끊고 마신다. 오늘따라 가족들과 떨어져 지내시는 아버지가 생각난다. 어찌 지내시나, 밥은 잘 드시고, 걸음 연습은 좀 하시나. 내일은 주말이니 어머니를 모시고 아버지를 뵈러 가야겠다.

무얼 사다 드려야 아버지가 좋아하실까. 달콤한 케이크, 쿠키, 떠먹는 요구르트를 드리면 웃음이 돌면서 아이처럼 얼굴이 환해지시던 아버지 모습이 떠오른다. 어머니께는 올갱이국을 갖다 드려야겠다. 예전에는 나를 위해서 올갱이국을 끓여 주셨는데 이제는 내가 끓인 것을 어머니에게 가져다드려야겠다. 어머니는 올갱이 잡던 시절 이야기를 또 하실 것이다. 그리고 아버지가 생각나 눈물지으실 것이다. 지금처럼 만이라도 아버지가 우리 곁에 오래 계셔주기를 바라며 간절히 기도한다.

고마운 사람들

30년 넘게 다니던 직장을 그만두었다. 명예퇴직을 한 것이다. 나는 명예퇴직이라는 말에 걸맞게 학생들에게 좋은 선생이었고, 교사들에게 좋은 동료로 남는 명예로운 퇴직을 한 걸까, 자신에게 물어본다. 확신은 없다. 내가 좋아서 다닌 직장이었다. 힘들고 지칠 때도 많았지만 대부분은 웃고, 즐기며 다녔다. 명예퇴직 하겠다고 수년 전부터 작정은 했지만, 막상 닥치자 여러 생각들로 복잡했는데 실행을 하고 나니 후련하다. 잘한 것 같다. 아쉬움이 왜 없을까마는 돌아가고 싶지는 않다.

2020년 3월 2일, 직장인이 아닌 가정주부로 아침에 눈을 떴다. 휴대폰에 문자 들어오는 소리가 들린다. 열어보니 은행에서 퇴직금과 명퇴금이 입금되었다는 연락이다. '벌써? 빠르기도 하군' 하는 생각이 들면서 아쉬움도 있다. 이걸로 다 정리되는 건가 보다. '며칠 정도 늦어도 되는데 이렇게 정 떼듯이 하루 만에 입금될 게 뭐람….' 하는 마음이 드는 걸 보니 아쉬움이 남아있었나 보다. 30

년 넘게 다닌 직장을 스스로 결정하여 나오고는 누군가에 의하여 칼로 무 자르듯 잘라내 벌판에 덩그러니 던져진 묘한 느낌이 든다.

큰돈을 받고 보니 고마운 사람들에게 인사를 하고 싶은 생각이 든다. 내가 직장에 다닐 수 있도록 도움을 준 가족들에게 고마운 마음을 전해야겠다. 먼저 시부모님이 생각났다. 부모님의 도움으로 우리 아이들이 잘 컸다. 결혼하고 같이 살다가 둘째가 두 돌 지나 분가했으나 아이들이 아플 때마다 달려오셔서 병원에 데려가셨다. 직원들과 회식이 있거나 출장이 있을 때마다 전화 드리면 오셔서 돌보아 주셨다.

어머님 아버님이신들 왜 바쁘지 않고 힘들지 않았을까마는, 내색하지 않고 항상 응원해 주셨다. 큰딸은 첫 월급 타서 할머니 과자 사 주기로 약속한 것을 지키겠다고 한과를 배달하면서 고마움을 표시했었다. 나도 큰딸처럼 찾아뵙고 감사 인사를 해야겠다. 은행에 가서 신권으로 돈을 찾아 깨끗한 봉투에 넣었다. 아버님이 좋아하시는 딸기를 사서 들고 시댁으로 갔다.

이런저런 얘기를 한 후에 돈 봉투를 꺼내 두 분께 드리면서 "어머님 아버님 덕에 직장에 잘 다닐 수 있었어요. 고맙습니다." 하고 말씀드렸다. 두 분도 감회가 깊으신지 잠시 머뭇거리다가 "고맙게 받겠다." 하신다. 내 마음을 읽고 받아주셔서 고맙다. 다음에는 친정엄마다. 시부모님보다 친정어머니께는 편하게 말씀드렸다. "엄마 퇴직금 나왔어." 하면서 봉투를 내밀었다. "네가 고생했지." 하고 말씀하신다.

인사할 사람들이 아직 있다. 내가 정말 많이 고마워하는 사람들이다. 큰딸이 먼저 떠오른다. 직장 생활을 하면서 가장 힘들었을 때가 충주로 통근할 때였다. 1년 동안 내가 먼저 새벽 출근을 하면 큰딸은 동생을 깨워 아침을 같이 먹고 등교했다. 하교 후에는 동생을 돌보며 엄마가 퇴근하고 돌아오기를 기다렸다. 남들은 아침에 깨워도 못 일어나는데 큰딸은 혼자 일어나 씻고 아침 식탁에 차려진 음식을 동생과 먹은 후 정리하고 등교하였다. 생각할수록 고맙고 고맙다. 언니 말을 잘 따라준 둘째도 고맙다. 경제생활을 하는 큰딸은 돈을 준다고 하면 안 받는다고 할 것이 뻔하다. 하여 딸의 통장으로 입금한 후에 사위랑 좋은 데에 사용하라고 전화하였다. 딸은 울먹이면서 엄마가 고생했는데 왜 내게 돈을 주는 거냐고 한다. 나도 목울음이 나와 전화를 끊었다. 고마운 사람이 더 있다. 서울에서 살고 있는 남편과 둘째 딸에게는 주말에 내려오면 고마움을 또 다른 방법으로 표시할 거다.

고마움을 돈으로 표현했으나 가족들은 돈의 액수보다 그 안에 더 크게 들어있는 내 맘을 알 것이다. 기쁨만 있었다면 좋겠지만 때로는 속상함도 슬픔도 있었을 것인데 묵묵히 도와주신 시어머니, 친정어머니, 남편, 딸, 모두 고맙고 고맙다. 그리고 나에게도 선물을 준다. 잘했어, 고생했어, 이제부터는 하고 싶은 것을 하면서 즐기면서 지내, 넌 그럴 자격이 있어, 네 마음이 하자고 하는 것을 찾아서 열심히 살아, 아니 너무 열심히 살려고 하지는 말아, 그냥 살아, 마음이 시키는 대로….

죽을 쑤면서

아침 일찍 눈이 떠졌다. 바로 일어나기 싫어 뒤척이다가 '아 딸들이 왔지' 하고는 벌떡 일어났다. 지난가을에 결혼하여 원주에서 직장에 다니며 신혼살림을 하는 큰딸이 어제 왔다. 일요일인 오늘이 제 동생 생일이라 어버이날 올 것을 미리 당겨서 왔단다. 사위는 친구 결혼식에 참석했다가 오늘 저녁에 온단다. 집에 온 딸들에게 무엇을 해 먹일까. 생일을 맞은 작은딸에게, 엄마를 보러온 큰딸에게 맛있는 음식을 해 주고 싶어 이것저것 생각하다가 냉장고에 전복이 있는 생각이 났다. 아침 식사는 전복죽을 끓여서 편하게 먹게 해 주어야겠다. 마침 어제 시골에서 뜯어 온 부추도 있다. 전복죽에 부추, 잘 어울리겠다.

친정어머니도 내가 어릴 때 죽을 자주 쑤어 주셨다. 전복죽은 아니고 시골에서 구하기 쉬운 콩으로 콩죽을 쑤셨고, 동지에는 팥죽을 쑤셨다. 그리고 여름에는 된장 푼 국물에 아욱을 넣고 아욱죽을 쑤어 주셨다. 나는 위가 약해 자주 소화 불량으로 고생했는데 엄마가 쑤신 죽을 먹고 기운 차리곤 했다. 지금도 난 여러 가지 죽을 자주 쑤어먹는 편이다. 친정어머니가 그러셨던 것처럼 오늘은 내가 친정에 온 딸에게 별식으로 죽을 쑤어 먹일 것이다. 어머니는 자주 속앓이를 하는 딸을 위해 안타까운 마음으로 죽을 쑤셨으나, 나는 별미로 죽을 쑬 것이다.

이런저런 생각을 하다가 두어 시간 지나 부엌으로 갔다. 물에 담가 두었던 쌀을 씻어 놓고 해동된 전복을 손질했다. 칫솔로 전복 사이사이 묻어있는 갯벌의 검은 흔적을 지워내고 수저를 이용하여 살과 껍질을 분리했다. 몸체와 내장을 분리한 뒤 머리 쪽을 누르며 이빨을 가위로 잘라냈다. 미물에게도 있을 건 다 있어 신기하다. 도마 위에 놓고 잘게 자르기 시작했다. 잘라 놓은 전복을 들기름 듬뿍 두른 두꺼운 냄비에 넣고 달달 볶으며 이런 시간이 있음에 감사한다. 죽을 젓는다. 우리 가족을 위해 내가 음식을 할 수 있어 감사하고 반복하는 이 시간이 즐겁다.

그런데 자식에게 먹이려고 하는 일처럼 부모님을 위해 하는 일도 즐겁게 했을까 생각해 본다. 돌아보니 즐거움보다는 의무감으로 할 때가 많았다. 친정어머니와 시부모님들이 연로해지셔서 돌봐드려야 한다. 병원에 모시고 가야하고, 맛난 것도 사다 드려야 하고 필요한 것은 무얼까 살피고 챙겨드려야 한다. 친정어머니 모시고 병원 다니던 그 주간에 시아버님 소화기내과, 피부과 약 타다 드려야 했고, 시어머니 내과 약 타다 드려야 하는 일이 같은 주간에 몰린 적이 있었다. 그때는 지금 죽을 쑤듯 즐겁게 하지 않았다. 그래서 내리사랑이라고 하나 보다. 죽이 끓는다. 연한 갈색 죽이 보글보글 끓으며 고소한 냄새를 풍긴다.

오래된 사진 속의 엄마

시골에 혼자 사시는 엄마를 뵈러 길을 나섰다. 이왕이면 같이 식사를 하려고 점심시간에 맞추었다. 친정집이 있는 옥천으로 가는 길은 한없이 조용하고 한가롭다. 보은 톨게이트를 빠지면 탁 트인 도로에는 앞에도 뒤에도 보이는 차가 거의 없다. 이런 길에서는 뒤에 따라오는 차가 없으니 속도 걱정 없이 천천히 운전하며 주변의 풍경을 볼 수 있다. 여유롭다. 쫓기지 않고 길을 따라 흐르는 물도 힐금 보고 하늘도 보면서 운전하다 보면 우리 집에 닿게 된다.

마을 초입에 엄마가 서 계신다. 점심 먹으러 가겠다고 미리 전화를 드렸더니 오매불망 기다리신 거다. 이렇게 기다려주는 엄마가 있어서 좋다. 추운데 왜 나오셨느냐고 궁시렁 거리면서 들어갔다. 우리 집이다. 내가 아주 어렸을 때 살던 집을 아버지가 퇴직하고 다시 이곳으로 돌아오면서 할아버지가 사시던 집을 다시 지었고 지금은 아버지 없이 엄마가 혼자 살고 계신다.

거실문을 열고 들어섰다. 따뜻한 햇살이 마루 깊숙이까지 환하게 비춘다. 남향집 이어서 웬만큼 기온이 내려가지 않으면 한겨울에도 추위를 많이 느끼지 않는다. 엄마는 마루에 작은 이불을 깔아두신다. 이불 밑에는 전기장판을 깔았다. 어렸을 때 놀다 들어와 차가운 발을 이불 속에 넣으면 잔잔한 따스함이 느껴지곤 했는데, 지금도 그렇게 따뜻하게 준비해 두셨다. 우리 집에 왔다는 안도감에 숨을 크게 쉬고 두리번거리며 집안을 살펴본다.

벽에 걸린 아버지 사진을 본다. 아버지는 이제 사진으로만 집에 계신다. 나는 아직도 아버지의 부재가 익숙하지 않아 엄마 몰래 숨을 삼킨다. 부엌에 엄마가 준비해 놓으신 밥이 차려져 있다. 쉰 살이 넘었어도 엄마에게 나는 챙겨줘야 하는 딸이다. 그런 엄마 마음을 알기에 응석도 부리며 챙겨주어야 하는 딸이 되어 드린다. 지금도 내가 드리는 것보다 엄마로부터 받는 것이 더 많다. "네가 와서 같이 밥을 먹어주니 그저 좋구나." 하고 말씀하신다.

밥을 먹고는 보여줄 게 있다고 마루에 앉으라고 하신다. 심심해서 예전 사진을 꺼내놓고 보던 중이니 같이 보자 하시면서 한 장씩 건네신다. 세상에! 내게도 없는 우리 딸 어렸을 때 사진이 있다. 이렇게 예쁘고 귀여운 모습으로 남아있다니 신기하다. 휴대폰으로 찍어 우리 가족 단톡방으로 전송했다. 한 장 한 장 재밌게 얘기하며 사진을 넘기는데 빛바랜 사진 한 장이 보인다. "엄마 이건 누구여요?" "엄마 아기 때 외삼촌들이랑 찍은 거란다." 하고 말씀하신다. 두 돌 정도 지났을까? 작은 아기가 한복은 한복인데 촌스러운 한복을 입고 쪼그리고 앉아있다.

표정이 영 어색하다. 옆에 서 있는 외삼촌들은 나무로 만들어진 신발을 신고 있다. 이렇게 오래된 사진이 있다니…. 그 시절에 사진을 찍었다는 사실이 놀라웠다. 어머니 연세가 82살이시니 자그마치 80여 년이 지난 사진이다. 내 나이보다 더 오래된 사진이 있었다니 소중하기 그지없다. '우리 엄마도 이렇게 아기였던 적이 있었다니….' 내 기억엔 항상 든든한 기둥 같은 어른이었는데 엄마도 우리 아이들보다 더 어릴 때가 있었던 거다. "세상에나, 세상에나!" 나는 감탄사를 연발하면서 사진 속 꼬마 아이를 보았다. 워낙 오래되어서 엄마도, 외삼촌도 누구라고 말해 주기 전에는 알 수 없을 귀한 사진 한 장이 역사로 남아있는 것이다.

우리 엄마도 부모님 보호를 받으며 자라셨거늘 내가 기억하는 엄마는 우리를 키우고, 할아버지 병간호하고, 일꾼들 밥해주는 강하기만 한 모습만 있었다. 엄마에게도 꿈 많던 사춘기가 있었고, 새색시의 수줍음도 있었거늘 세월은 초라한 지금의 모습만 남겨 놓았다. 한평생 의지했던 남편을 먼저 하늘로 보내고 시골집에서 홀로 남아 나와 내 동생, 그리도 손주, 손녀를 기다리면서 사신다.

엄마에게 내가 무얼 해 드릴 수 있나. 한 장의 오래된 사진을 보면서 엄마에게도 아기일 때가 있었음을 인식한다. 그리고 엄마의 꿈은 무엇이었을까를 생각해 본다. 사진 하나가 생각의 흐름을 달라지게 했고 그 흐름을 따라 엄마를 바라보는 내 마음이 변화되는 걸 감지한다. '더 자주 와서 엄마가 해 주는 밥을 같이 먹으며 우리의 옛날이야기 더 많이 할게요.' 다짐하면서 엄마 손을 슬며시 잡아본다.

고추장 담그기

고추장을 담갔다. 고추장 된장은 결혼 후에도 늘 친정엄마가 챙겨 주셨는데 올해는 내 손으로 담갔다. 직장 다니느라 바빠도 우리 집 식탁 음식만은 어떻게든 내가 해결해 왔다. 하지만 넘지 못하는 것이 된장 고추장이라고 친구들과 말하곤 했다. 김장은 친정엄마 도움 없이 해 본 적이 있다. 재료 준비를 하면서 얼마나 긴장했는지 모른다. 나뿐 아니라 딸들도 남편도 걱정이 많았다. 주말 이틀 동안 남편과 두 딸과 함께 고춧가루 냄새 풍기며 해내고는 뿌듯한 마음으로 수육을 먹었었다.

하지만 그 뒤 다시 예전처럼 친정엄마와 시어머니께서 주시는 김장을 먹고 있다. 그러니 고추장을 어찌 담그겠나. 그런데 이번에 도전했고 해냈다. 작년 여름 친정에 갔을 때였다. "엄마 고추장 떨어졌어요." 했더니 이제는 힘이 달려서 못하겠다고 사 먹으라고 하시는 거다. 우리 엄마가 고추장을 못 담그시게 늙으셨다는 것에 가슴이 아팠다.

퇴직 후 우리 부부는 주말이면 마련한 농장에 들어간다. 그곳에서 만나 친구처럼 지내는 부부가 우리를 포함하여 네 팀이다. 뒤늦게 만났으나 공동체가 되어 행복하게 지낸다. 한번은 고추장에 대한 하소연을 주말농장 선배 형님께 했더니 도와주겠으니 함께 담자는 거다. 손 내밀어 주는 형님이 얼마나 고마운지 인터넷을 검색하여 고운 고춧가루를 주문했다. 그리고 메줏가루와 찹쌀 엿기름은 형님네가 함께 준비하여 나누어 쓰자고 했다. 덕분에 처음이지만 겁 없이 대들 수 있었다.

엄마는 고추장을 담그실 때 엿기름에 찰밥을 삭힌 후 오래 달이셨다. 잘 달여진 뜨거운 국물을 한 국자 떠서 먹어보던 기억이 있다. 그리고 방에 있는 내게 "이것 좀 먹어봐라." 하시며 고추장 밑재료인 엿기름 삭힌 뜨거운 식혜를 대접에 떠다 주셨다. 평소 위가 안 좋아 고생하는 내게 엿기름 삭힌 뜨거운 물이 좋다고 하셨다. 그것은 달고 맛있는 음료였다. 엄마는 할 일 많고 바쁜 중에도 잊지 않고 고추장 담글 때마다 식혜를 챙겨주셨다. 철없던 난 부엌에 나가 엄마와 함께 고추장 만드는 과정에 참여할 생각을 못 하였다. 그런데 된장 고추장 담그는 일이 현실이 됐다. 이제는 내가 담가서 엄마에게, 결혼한 딸에게 가져다줄 때가 되었다.

먼저 고추장을 담아 보관할 항아리를 준비해야 했다. 친정어머니께 드릴 항아리를 가지러 갔다. 엄마가 창가에 앉아있던 하얀 백자 항아리를 주신다. 이 단지는 엄마가 젊었을 때 친구들과 관광을 갔다가 사 오신 거다. 숨 쉬는 항아리라 샀다고 좋아하시면서 들고 들어오시던 모습이 선하다. 20여 년간 아끼며 고추장 항아리로 사용해 오셨다. 백자 항아리에 내가 담근 고추장을 보고 기뻐하실 엄마를 상상하니 설렌다.

내가 먹을 고추장 단지는 면사무소 근처에 나가서 자그마하고 동그란 토기를 샀다. 두 개의 항아리 가득 담긴 고추장을 보면서 나이 듦에 대해서 생각한다. 고추장 한번 담갔다고 끝나는 것이 아니고 앞으로도 많은 일들을 해야 할 것이다. 직장 다니느라고 소홀히 했던 일들을 하나씩 배워 나가는 이 과정을 즐기며 지내려 한다.

인생이란 긴 여정에서 배워야 할 것이 아직도 많을 거다. 그때마다 당황하지 말고 차분히 배워 나가다 보면 나도 우리 엄마나 시어머니처럼 두 딸에게 뭔가를 해주는 친정엄마로 변해갈 수 있겠지…. 올여름에는 맛나게 익은 빨간 고추장에 비빔밥을 해 먹을 수 있도록 밭에 초록 채소 씨앗을 뿌려 기르고 있다. 장 담그기를 못한다고 하소연하며 차 마시던 친구들을 불러 행복한 밥상을 차려야겠다.

부녀회 메주 만들기

다른 날 보다 일찍 일어나 서둘렀다. 작년 가을부터 시작한 주말 농장 마을의 부녀회 활동에 함께 참여하기 위해서다. 오늘은 주중이라 세종 우리 집에서 잠을 잤기에 동네 부녀회 행사에 참여하기 위해서는 1시간 이상 차를 타고 가야 되기 때문이다. 3주 전 일요일 아침 마을 대청소는 서대리에서 남편과 함께 지내고 있다가 옆집 사람들과 참여했었다. 그때는 나만 일어나 한참을 가야 하는 일이 아니고 아침 먹고 느지막이 나가면 되었기에 부담이 없었는데 오늘은 아니다. 어느날 청소 후 차 마시며 얘기들을 나누다가 부녀회에서 운영자금을 확보하기 위한 자체 행사로 마을에서 농사지은 콩을 사다 겨우내 따뜻한 곳에서 띄워 봄에 지인들에게 파는 일을 한다며 나오라 하여 선 듯 동의하고 말았다. 그때는 진짜 아무 생각 않고 웃으며 이야기했는데 오늘 다른 날보다 서두르는 아침은 영 좋은 것만은 아니다.

그렇다고 특별히 다른 일이 있는 것도 아닌데 못 가겠다고 전화를 할 수도 없어서 그냥 가기로 했다. 출근 시간이 막 지난 아침 고

속도로는 한산할 줄 알았는데 대형 화물 트럭이 생각보다 많이 보인다. 삶의 패턴이 다 다르다는 것을 새삼 실감하게 되는 고속도로의 풍경이다. 영하로 낮아진 기온은 차 안에서 안 느껴지고 대신 하늘 높이 떠 있는 태양이 길 안내를 하고 있다. 동쪽으로 길을 잡으니 햇살이 눈부셔 선글라스를 꺼내었다. 한결 눈이 편해진다. 이제 좌우를 보면서 조금 여유를 갖기 위해 바깥 차선으로 차를 몰았다. 숨이 편해진다. 잎 떨어진 나무와 파란 하늘이 작은 여행을 하는 듯한 기분이 들게 한다. 집 나올 때의 귀찮다는 생각은 멀리 없어졌다. 좋다. 하늘도, 이 시간을 즐기는 나도 다 좋다.

전화로 물어 부녀 회원들이 모여 있는 곳에 도착하니 모두 한 마음으로 웃으며 반겨준다. 아직 얼굴도 제대로 익히지 못한 6명의 마을 언니들과 동갑내기 부녀회장이다. 군에서 보조받아 산 최신의 스팀찜기에선 콩이 익어가는 냄새가 좋게 난다. 작년에 사용하고 보관만 했다가 어제 열어보니 작동이 제대로 안 되어서 오늘 새벽 누군가가 옥천읍에 나가 부속 장비를 사다가 겨우 작동시켰다고 서로들 알려준다.

덕분에 처음 예정했던 일정이 이 만큼 늦어졌다. 옆집에 있는 형님이 어제저녁 늦게까지 준비해 준 반찬과 국에 햅쌀로 지은 점심을 먼저 먹었다. 내가 제일 어린 막내다. 시골 마을의 고령화 현상을 여기서도 보게 된다. 다들 얼굴에 이만큼 씩 주름살이 보인다. 삶의 흔적이라 생각하고 그들보다 어린 내가 눈치껏 설거지를 했다.

이것도 내가 이 마을에서 받아들이며 적응해 나가야 하는 일부라 생각도 했다.

설거지를 마친 후 본격 적으로 메주 만들기에 들어갔다. 커다란 찜통에 찌어진 콩을 퍼서 옆의 기계로 옮기니 자동으로 다져서 밑으로 내려준다. 으깨어 다져진 콩 덩어리를 커다란 다라에 담아서 리어카를 이용해 옆의 하우스로 향했다, 그곳에서는 보자기를 안에 넣은 메주틀에 저울에 일정량을 잰 삶은 콩을 넣는다. 손으로 누른 다음 그것도 부족해 새 양말을 신은 한 사람이 틀위로 올라가 밟아서 다진 다음 모양을 다듬어 정말 메주를 만들어 내었다. 처음 해보는 메주 만들기가 신기하다. 난 저울로 일정하게 칭량하는 일을 맡았다. 사람들에게 말은 안 했지만 현직에 있을 때 과학실에 학생들을 데려가 실험하면서 저울 사용법을 수업하던 생각이 나서 혼자 미소 지었다. 그때도 이렇게 웃으면서 저울과 마주했었나 생각해 본다. 좀 더 친절한 선생님이었더라면 좋았을 텐데 하는 아쉬움을 나 혼자 속으로 사귀면서 하나하나 일정량을 재어 옆 사람에게 전해준다.

메주의 모양과 크기가 고르게 나오니 양이 똑같아서 그렇다며 함께하는 아주머니들 모두 좋아한다. 추운 바깥 날씨에도 뜨거운 채 바가지로 퍼 담으니 고무장갑을 낀 팔 안으로 땀이 난다. 한 겨울날이라 두꺼운 옷을 입은 것도 있지만 한 참 메주 만들기에 열중하다 보니 추운 줄 모르겠다. 아니 더워진다. 마음도 함께 따뜻해진다. 한참을 해 나가니 익은 콩이 모두 메주로 변하였다. 한 언니가 세어보니 49개의 덩어리가 만들어졌다고 한다. 모두 함께 해 낸 것이다. 바닥에는 떨어진 콩 부스러기가 가득이다. 막내인 나는 얼른 걸레를 들고 바닥을 닦으며 한 곳으로 떨어진 조각을 모으기 시작했다. '어!' 이번에도 모두& 힘들다고 그냥 나간다, 도와주는 사람이 없다. 쪼그리고 하다 보니 무릎도 아프고 꾀도 나는데 하소연할 데도 없다. 그래 이것도 내 몫이지 투덜 되지 말자. 바닥에 떨어졌던 콩 조각이 안 보인다. 깨끗해졌다. "청소 마쳤습니다." 하고 이쪽에 모두 모여 있는 곳으로 가니 "수고했다."며 어서 오라고 얼른 자리들을 내준다. 그래도 이 한마디에 서운함이 다 사라진다.

청소하느라 힘들었다고 큰소리로 생색을 내면서 속으로 웃는다.

이렇게 힘든 하루 덕에 마을 사람들에게 다가가기 1단계는 성공한 것 같다. 내년에는 올 보다 더 많이 이들과 함께하는 시간을 갖게 될 것이다. 그러면서 낯선 부녀회원이 아닌 당당한 한 멤버로 자리매김을 하고 싶다.

이제 곧 딴 세상

안경을 맞춘 지가 오래되어서인지 저녁만 되면 초점이 잘 안 맞아 흐릿하여 짜증나는 일이 얼마간 지속되고 있었다. 안경점에 가서 시력 측정을 하고 새 안경을 맞추어 써야 할 텐데 엄두가 나지 않았다. 하루 일 마무리하고 침대에 누워 이 책 저 책 뒤적이다 잠드는 게 큰 낙이었는데…. 시력이 안 맞는 안경을 쓰고 지내는 것은 삶의 질을 떨어뜨리는 일이다. 나는 그렇게 기운이 나지 않는 생활을 반복하고 있었다.

주말이 되어 원주에 사는 큰딸이 집에 와서 이런저런 얘기를 하다가 눈이 불편하다고 했더니 '실손보험' 들어 놓은 거 있냐고 묻는다. 요즘 안과에서는 실손보험 환자를 대상으로 시력 교정과 백내장 수술을 동시에 하는 '수정체 삽입술'을 시행하여 새 세상을 찾는 사람이 많으니 진찰을 받아 보라고 권한다. 그리고 며칠이 지났다. 딸은 내가 많이 걱정됐나 보다. 여기저기 검색하다 몇 년 전 본인이 라식 수술을 받았던 안과인데 좋았던 기억이 있다며 강력하게 추천하는 전화를 했다. 그래도 망설이는 내게 속히 가라고 재촉을 한다.

중학교 2학년 때부터 처음 안경을 쓰기 시작했으니 지금까지 40년이 넘었다. 자고 일어나면 제일 먼저 찾는 것이 안경이고, 주변 환경이 변하면 눈앞이 흐려지고 김이 서려 짜증도 많이 났었다. 중간에 콘택트렌즈를 10여 년 한 적도 있었는데 하루는 눈이 너무 아프고 눈물이 흘러 출근을 못 하는 일이 발생했다. 급하게 남편과 함께 간 안과에서는 매일매일 렌즈를 갈아 끼우느라 각막이 얇아져 생긴 증상이니 이제는 안경을 도로 쓰라는 처방을 내렸다. 그날 나는 양쪽 눈에 안대를 하고 집에 왔었다. 양쪽 눈을 볼 수 없으니 남편도 회사에 사정을 얘기하고 출근하지 못한 채 하루 동안 나의 손발이 되어 주었다. 그날 연가가 남편에게는 입사 후 처음 쓴 연가였다고 후에 몇 번 이야기 했다. 그 뒤로는 안경이 잠자는 시간 말고는 내게서 떠난 적이 없으니 나의 또 다른 분신이 된 셈이다.

때가 되면 안경점에 가서 시력측정 다시 하고, 유행 따라 테를 고르고 새로 안경을 맞추어 쓰곤 했는데 이제 거기서 벗어날 길이 보인다. 기대되고 설렘도 있지만 몸에 칼을 대는 수술을 한다는 것에 선뜻 응하기가 쉽지는 않았다. 지인 중에 백내장 진단을 받고 나보다 먼저 '수정체 삽입술'을 시술한 사람들을 찾아 자문을 받았다. 두 명의 지인이 있었는데 모두 적극적으로 권한다. 비용이 많이 들기는 하지만 보험회사에서 다 지급이 되니 검사해서 조건이 맞으면 무조건 하는 것이 맞는다고 채근한다.

지난번에 운동할 때였다. 안경 없이 맨눈으로만 클럽을 조정하여 공을 맞힐 수 있다는 게 너무 신난다며 좋아하던 선배 모습이 떠올랐다. 하고 싶은 쪽으로 마음이 끌리니 긍정적으로 말한 사람들 말이 자꾸 연상된다. 나도 용기를 내보고 싶어졌다.

학교 일정이 조정되어 일과가 일찍 끝난 날, 가입한 보험 계약서를 한 장 출력해서 낯선 서울로 갔다. 떨리는 마음으로 가 보니 병원은 완전 중소기업 수준이다. 손님은 미어터지고 여기저기 상담 직원도 많았다. 여기가 맞는 건가 두리번거리며 접수하고, 인쇄해 온 보험 약관 서류를 제출하고, 순번을 기다렸다. 잠시 후 호출을 받고 안내원을 따라 여기저기 왔다 갔다 하면서 몇 가지 검사를 했더니 수술에 문제가 없다고 당장 시행하자는 거다. 갑자기 갈등이 생겼다. "저… 오늘은 검사만 하고 수술은 방학 때 하려고 했는데…요?" 하고 얼버무렸더니 왜 방학까지 기다리느냐고 20분이면 한쪽 눈 수술은 끝나니 하고 가라고 유혹을 한다. 나는 마음이 약해지면서 안경을 벗을 기회가 생겼다는 유혹을 떨칠 수가 없었다. 마침 작은딸까지 서울에 와 있다면서 수술을 하면 병원으로 와서 에스코트 하겠다며 수술을 권했다.

어찌할까. 만감이 교차한다. 오랜 투약이야 감수할 수 있을 것 같았다. 하지만 엄청난 치료비, 며칠간의 불편……. '그래, 내가 진정 원하는 일이니 하자.' 나는 작은딸에게 데리러 오라 전화하고 수술대에 올라갔다. 두 손 꼭 잡고 잘 견디자 다짐했다. 조금만 참으면 새 세상을 만날 수 있다는 희망이 이 모든 걸 다 견디게 해 주었다.

다른 사람들은 한쪽 눈 하고, 바로 이튿날 반대쪽 눈을 진행한단다. 하지만 난 사정상 일주일 뒤 주말에 한쪽 눈 예약을 한 뒤 수술한 눈에 안대를 하고 청주로 향했다. 양쪽 눈 시력이 상당히 차이가 나는 상태로 안경 없이 보내는 1주일이 힘들고 어지러웠지만 얼굴엔 절로 미소가 지어졌다. 만나는 사람들에게는 안경을 벗었어도 글씨도, 먼 곳에 있는 사물도 잘 보인다고 자랑을 하면서 이제는 내가 수술을 해 보라고 조심스럽게 권하기까지 하였다.

아침마다 일어나면 제일 먼저 안경을 찾아 수건으로 닦는 일도 없고, 기온 차 큰 실내로 들어가도 눈앞이 뿌옇게 변하지도 않는다. 단지 저녁이 문제되기는 한다. 아직 적응 기간이라 초점이 잘 안 맞아 책을 보려면 흐릿하고 약간 번지는 현상이 나타나긴 한다. 병원에 문의했더니 좋아질 거라며 걱정하지 말라고 안심시켜 준다. 믿어야지, 지금 얼마나 좋은데…. 화장대 거울 안의 내 얼굴에 생긴 잡티도 잘 보인다. 거슬리지 않는다. 저것도 내 모습이라 받아들일 수 있다.

안경 쓰고 지낸 40여 년, 나도 이제 그 긴 시간에 마침표를 찍을 수 있다. 이 얼마나 대단한 일인가. 의학의 발달이 놀랍고, 이 어려운 선택을 하게 된 내게도 고맙다. 이러한 것이 새로운 변화에 대응하는 한 모습이 아닐까. 변화를 받아들이고 나까지 변화시킨다는 것! 정말 멋진 일이다.

혼자 본 영화

극장 안에는 아무도 없다. 전 같으면 얼음이 든 콜라와 갓 튀겨 고소한 냄새 풍기는 팝콘을 손에 들고 옆 사람과 소곤거리는 사람들로 가득 찼을 극장 안에 지금은 나 혼자 앉아있다. 작년에 이어 올해까지 전 세계를 휩쓴 코로나19 때문이다. 외출을 하지 않고 거리 두기를 서로 실천하여 바이러스의 전파를 막기 위해 모두가 고생하고 있는 현실을 대변하는 풍경 중 하나이다. 나도 다른 사람들처럼 가급적이면 집에 있고 외출을 삼가야 했지만, 오늘은 친한 친구 딸이 최초로 주연한 영화가 개봉되는 날이기에 조심스럽게 표를 예매하고 극장에 앉아있다. 두리번거리며 여기저기를 살펴봐도 상영 시간이 되었는데 더는 들어오는 사람이 없다.

큰 회사에서 만든 것도 아니고, 유명한 배우가 출연하는 것도 아닌, 저 예산의 독립영화이다 보니 한산할 것은 예상했지만 이 정도일 줄은 몰랐다. 지하 주차장에 들어설 때부터 다른 날과 다르긴 했다. 주차자리가 많이 비어있어서 아무 곳이나 고생하지 않고 차를 댈 수 있었다. 기분 좋게 매표소 앞에 섰을 때부터 당황이 시작되었다.

사실 어제 예매할 때 나 혼자 티켓을 산 것은 알았다. 예전처럼 사람이 많았다면 처음 등단하는 친구 딸을 응원하는 마음에 10여 장을 예매하려 하였으나 아무도 없는데 혼자 가면서 그렇게 하는 것이 좀 어색해서 1장만 예매하긴 했었다. 그래도 나 외에 몇 명은 더 있기를 기대하면서 왔는데….

약속 상영 시간보다 5분여가 지나서 예고편이 보이고 좀 지나 천정의 불이 꺼진 후 본 영화가 시작되었다. 스크린이 가장 잘 보이는 중앙에 편하게 자리 잡고 집중하여 열심히 보았다. 나중에 친구를 만나면 뭔가 도움이 되는 얘기라도 해 줄 수 있으면 좋겠다는 마음을 갖고 보면서 좀 어색한 장면은 메모도 하였다. 제목이 '귀여운남자'다. 소재는 참신하나 배우들의 서툰 연기와 어색한 소품들이 내 눈에도 보이는 것이 다른 영화들과는 차이가 나긴 하였다. 살다가 극장을 전세 낸 것처럼 혼자 보다니….' 하면서 영화를 보다 말고 자꾸 뒤를, 옆을 살폈다. 그냥 이 상황을 즐기자 하였지만 혼자라는 사실 때문인지 오히려 영화에 몰입이 더 안 되었다. TV 드라마를 볼 때 돈 많은 사람이 연인을 위해 영화관을 홀로 전세 내어 둘만의 시간을 갖는 장면이 나오는 것을 보고 친구들과 얘기하면서 부러워했었는데 오늘 홀로 극장을 차지하고 영화를 보는 느낌은 영 아니다. 사정이 달랐기 때문인 것을 안다. 110분 영화 상영이 끝났다. 예전처럼 불이 들어오고 출입문이 열려 소지품을 챙겨 나왔다. 매표소에 가서 주차 정산을 해달라고 했더니 안 해도 된다고 그냥 나가라 한다. 세상이 달라졌다. 이 영화도 편안한 세상에서 개봉되었다면 많은 관객들의 호응 속에 꽃다발을 받으면서 신인 배우 등단 식을 했을 텐데 코로나19가 바꾸어 놓은 세상이 정말 당황스럽다.

친구 딸은 뮤지컬 배우로 출발하여 그동안 몇 년을 연습실에서 연습하고 공연에 참가하면서 재능을 키우다가 이제는 발전하여 영화까지 찍게 되었다. 친구 집에 놀러 가서 보면 날씬한 몸을 유지하기 위해 참 많이 노력하는 것을 보면서 잘 되어라, 잘 될 거야, 하면서 맘으로 응원했던 생각이 난다. 자그만 얼굴과 커다란 키, 날씬한 허리를 유지하고 있는 모습이 참 예뻤다. 이번 영화에서도 그 예쁜 모습이 망가지지 않고 긴 생머리와 함께 화면에 나온 것을 보니 참 좋았다. 이 영화 출연을 시작으로 앞으로 더 많은 배역을 맡아 활동하는 다양한 모습을 화면을 통해 볼 수 있기를 바라는 마음이다.

극장을 나오면서 친구에게 전화를 할까 하다가 할 말이 쉬 떠오르지 않아 그냥 닫았다. 뭔가 축하를 해 주고 싶은데 영 생각이 나지 않아 차를 두고 거리를 걸었다. 낮의 한산함과 달리 저녁이 되니 거리에는 마스크를 쓰고 지나다니는 사람이 조금 늘었다. 이 많은 사람들이 극장으로 가서 내가 본 영화를 봐준다면 참 좋겠다. 친구 딸이 생각난다. 많이 두근거리고 설레는 맘이겠지…. 전화번호도 모르니 내가 나서기는 그렇고 그래도 응원하는 마음을 전해 주고 싶었다. 하여 '가능한 시간에 가족이 모여 차 마시는 시간이 되면 좋겠다.' 는 메모와 함께 카톡으로 4잔의 커피와 케이크 쿠폰을 보냈다. 자식을 함께 키우는 아줌마의 맘이다. 친구도 알아주겠지. 내가 이번 ㅇㅇ의 영화가 정말 많은 사람에게 웃음과 위안을 참 좋은 영화에 되고, 앞으로는 더 성숙하고 발전하여 많은 사람이 응원하는 멋있는 영화배우가 되기를 바라고 있음을.

여성다운 모성애의 인생사

수필은 그 사람의 인품이다. 평소 살아온 작가의 삶과 사물을 통찰한 사색을 들려주는 인생철학이다. 조동원 수필가는 작가 이전에 교육자로 사명감을 갖고 30여년을 투철한 교육관으로 중등학교 교단에서 과학을 지도하여온 교사이다. 가정에서는 어머니로 자녀들에게는 부모답게 살아가는 모범적인 여성으로 조용히 글을 쓰는 욕심 없는 수필가다.

사람이라면 어머니의 의미를 모르는 사람은 아마도 아무도 없을 것이다. 어머니. 그 이름은 지구상에서 이보다 더 아름다운 단어가 또 있을까. '여자는 약하지만 어머니는 강하다'고 말하지 않았던가. 어머니의 숭고하고 고귀한 사랑은 그 어느 사랑과도 비교할 수가 없다. 낳아주고 길러주고도 자식에 대한 어머니의 사랑은 본능적이라 하지만 조건 없는 무한한 희생의 사랑을 나눈다. 자식이 위험에 처해 있거나 아프면 모성애를 발휘하여 최선을 다하며 생명까지 나누어 주는 보호본능에 까지 이른다. 어머니의 사랑은 자애롭고 갸륵한 정신으로 형언하기 어려운 의미를 담고 있다.

조동원 수필가처럼 자식을 위한 끝없는 자애로운 모습과 생명으로 사랑을 베푼 어머니가 어디 그리 흔하겠는가. 모성애의 근본을 실행한 자식에 대한 사랑은 오직 어머니만이 지닌 애정이다. 인류(人類) 어머니들이 희생을 자처하는 고결한 정신은 경이롭다. 바로 조수필가가 이러하다.

〈수술 후 한 달〉이란 작품은 어머니가 딸에게 신장을 이식해준 글로 어머니다운 모성애를 감동으로 느끼게 한다.

'가을을 보내고 겨울이 끝나가는 즈음에 우리 가족은 병원으로 향했다. 집을 나서기 전에 네 식구 모두는 겉으로는 웃었지만 속은 각자의 생각으로 마음이 무거웠다. 수술에 대한 두려움은 있지만 그걸 말로는 못하고 서로의 눈치만 슬슬 보면서 자기 방식대로 간절히 기도할 뿐이다. 병원에 도착하여 수여자인 작은 딸은 신 췌장이식과에, 공여자인 난 비뇨기과에 각기 입원하였다. 수술 전날이라고 인턴이 수술에 필요한 사항을 이것저것 설명하면서 금식을 하고 아침 수술에 임하라 한다. 잔뜩 긴장하여 다들 멋있다고 하던 입원실 창밖의 야간 풍경을 볼 엄두도 나지 않았다. 저녁부터 관장을 하여 속을 비우고 무슨 검사를 한다고 피를 뽑아가고, 수술 방법에 대하여 설명을 하는데 정신이 없으니 그저 "예."라고 밖에 응대를 못했다.'

우리가 살아가면서 가기 싫은 곳이 병원이다. 아프면 참고 견디다가 끝내는 어쩔 수 없이 가고 마는 곳이 또한 병원이다. 대수롭지 않은 병이면 다행이지만, 운명이 걸려있거나 수술을 해야 하는 병일 적에는 긴장하지 않을 수가 없다.

생명이 왔다 갔다 하는 수술에 임박한 네 식구가 겉으로는 웃었지만 각자는 마음이 얼마나 무거웠으랴. 더군다나 신장 이식을 하는 위험한 처지에 그 심정 또한 얼마나 두렵고 착잡하였으랴. 오직 처해 있는 당사자는 운명을 하늘에 맞기며 기도에 의지할 수밖에 없는 절박하고 나약함의 시간 앞에 엄습해오는 초조함을 감내하는 처지를 담담하게 그려 놓았다.

'다음날 아침, 드디어 수술하는 날이다. 11시에 시작한다고 하였지만 우리는 새벽부터 일어났다. 둘째와는 병실이 다르니 서로 얼굴을 보지 못하고 전화로 이야기하였다. 다 잘 될 테니 걱정 말고 그저 기도하자 했다. 그러면서 웃었으나 속은 걱정 투성이고 한 없이 겁이 났다. 내가 먼저 수술실에 들어가고 내 것을 적취하고 바로 딸의 수술이 시작된단다. 마취에 들어가기 전 이동 중에 남편과 큰딸의 겁먹은 얼굴을 보았고 손을 잡았었다. 수술실에 들어갔다. 그리고 마취가 시작되었다. 그 뒤로는 간호사와 의사가 기구를 만지면서 달그락

거리는 소리가 들렸었다는 것 밖에는 글쎄…… 별 기억이 없다.'

아무리 의술이 발달하였다 하지만, 사람이 하는 일임에 예외가 있을 수도 있다. 초조한 심정을 달래며 딸과 전화통화를 하는 장한 어머니의 심정은 걱정되고 겁나지만 웃음으로 위로하는 마음이 어찌 어머니뿐이었으랴. 신장을 기증받는 딸의 마음은 어머니에 대한 고마움을 겉으로 표현하지는 않았겠지만, 그보다 더 행복한 사랑을 받을 수 있을까하는 마음으로 두려움을 감내 하였으리라.

부모자식간의 사랑이 무엇인가를 진실로 깨달으며 수술실로 향하였을 모녀의 모습을 상상하게 한다.

자식이란 무엇인가. 생물학적으로 생각해 본다면, 자신의 생명을 번식시킨 핏줄의 존재이다. 이런 점에서 지극히 소중하며, 인생의 삶에서 가장 큰 가치를 안겨주는 기쁨의 의미가 있다. 대신 자식은 부모의 은혜에 대하여 사자소학에 보면 이렇게 표현하고 있다.

'아버지는 나를 낳으시고, 어머니는 나를 기르셨다. 그 은혜는 높기가 하늘같고, 덕은 두텁기가 땅과 같도다. 사람은 자식 된 자로 어찌 효도를 하지 않을 수 있겠는가.'라고 하였다.

조동원 수필가는 어머니로서 딸을 낳았을 뿐만 아니라 영영 사라져가는 딸의 생명을 살려내려고 자신의 신장까지 떼어서 이식하여 주는 부모의 사랑을 그 어디에다 비할 수 있으랴. 천륜(天倫)을 지키며 살아가는 한 가정의 행복과 화목함으로 귀감이 되게 하고 있다.

〈버리지 못하는 봉투〉의 글은, 딸이 취직을 한 후 꼬박꼬박 어머니께 준 용돈을 모아둔 이야기다. 고맙고 대견함에 쓰지를 못하다가 결국 딸이 신혼기에 보태주는 부모의 마음을 편안하게 이끌어 가는 글이다.

딸이 첫 월급을 탔다고 봉투를 내민다. 열어보니 오만원권이 몇 장 들어있다. "고마워 잘 쓸게!" 하면서 울컥하는 감정을 누르고 덤덤한 척 받았다. 월급을 타서 용돈을 가져오다니, 어느새 이렇게 커버렸나. 이 귀한 돈을 차마 어떻게 쓸까. 가슴이 벅차서 방을 나가는 딸의 뒷모습을 쳐다보았다. 딸이 준 돈이라 너무 소중하여 쓰지 못하고 화장대 서랍 깊숙이 보관하였다. 그 뒤로도 어버이날이라고, 명절이라고 예쁘고 단정한 봉투에 얼마씩 현금을 넣어서 주곤 했다. 받은 봉투를 열어 볼 때마다 기분 좋고 가슴 뿌듯했다. 그때마다 고맙다 잘 쓸게 말은 했지만 돈은 쓰여지지 않고 화장대 서랍 속에 쌓여져 갔다. 이 돈을 모아서 무얼 하겠다는 계획도 없었다. 내게 특별한 돈이니 특별하게 사용하고 싶다는 막연한 바람만이 있었다. 올 어버이날 받은 봉투까지 세어보니 모두 일곱 개다.

이 글을 읽으면 반포지효(反哺之孝)라는 글귀를 떠올리게 한다. 까마귀 같은 미물도 자신을 키워준 늙은 어미에 대한 고마움을 보답하는 효심처럼 무엇인가를 조용히 일깨워 주고 있다. 자식을 길러주고 가르쳐 20여년의 세월을 보낸 후 직장에 나가 첫 봉급을 받아 부모님 앞에 내놓는 훌륭한 딸의 모습이 흐뭇하고 의젓함이다. 그 일부를 받아든 화자는 그 심정을 이렇게 들려준다.

'어느새 이렇게 커버렸나. 이 귀한 돈을 차마 어떻게 쓸까. 가슴이 벅차서 방을 나가는 딸의 뒷모습을 쳐다보았다.'라는 모녀지간(母女之間)의 고마운 심정을 느낄 수 있다.

요즘 사회는 부모의 고마움도 모르고 살아가는 자식들이 얼마나 많은가. 점점 가정교육과 예의범절이 무너지고, 인문 사회학적 인성교육마저 사라져가는 현실에서 인륜(人倫)의 효성에 대한 소박한 깨달음을 의미 있게 들려준다. 부모는 자식으로부터 받는 즐거움보다는 사람다운 도리가 무엇인가를 알고 살아가고 있다는 딸의 인격을 기뻐함이다.

화장대 서랍 속의 봉투는 나 혼자 즐기는 작은 행복이었다. 딸을 생각하면서 살포시 미소 짓는 기쁨이었다. 딸이 여행을 떠났다. 서랍을 열어보니 돈이 빠져나간 빈 봉투만 남았다. 딸의 사랑이 들어있는 봉투다. 봉

투에는 '2014첫 월급' 이라고 쓰여 있는 것도, '2018 구정' 이라고 쓰여 있는 것도 있다. 흰색봉투도 분홍색 봉투도 모두 소중하고 정성스럽다. 나는 이 봉투를 버리지 않고 두고두고 볼 것이다. 이후에도 또 다른 봉투가 쌓여 갈 것이다. 그것도 버리지 못하고 또 모아지겠지. 나중에 어느 추운 겨울날 따뜻한 난로를 마주보고 둘러앉아 이 봉투를 보여주면서 우리 가족의 긴 시간을 기억하며 이야기할 수 있는 날이 오게 되면 참 좋겠다.

사람이 살아가는데 있어서 제일 원하는 것은 기쁨일 것이다. 기쁨이란 만족함에서 느끼는 즐거운 마음이 아닐까. 인간생활에서 누구나 욕구가 이루어질 때 갖게 되는 감정이다. 정신적으로 또는 육감적으로 부터 얻어지는 감동의 유쾌함이 감흥으로 일어나는 기쁨이 아니겠는가. 가정의 가장 큰 기쁨은 자녀로부터 느끼게 된다. 자식이 어떤 목적을 달성하거나 성공하였을 적이다. 때로는 예의를 지켜 부모의 마음을 흡족하게 만들어 주었을 때이다.

조동원 수필가는 딸이 전해준 효행스런 마음이 담겨져 있는 빈 봉투까지도 버리지 못하는 그 생각은 쌍희(囍)자의 기쁨을 들려주고 있다. 모아둔 돈을 사용하지 못하고, 결혼을 앞둔 딸과 사위가 해외로 결혼기념촬영을 떠날 때 돌려주려는 생각의 기쁨이 겹쳐져 있다. 언젠가는 이후에도 또 다른 봉투들이 쌓여갈 것을 기대하고 있는 기다림을 소망하는 즐거운 마음도 담아냈다.

세월이 흐른 먼 훗날, 빈 봉투의 추억을 떠올리며 겨울의 난로 가에서 가족의 행복을 상상케 한다. 이 얼마나 포근한 삶인가. 넌지시 엄마의 시대는 첫 봉급을 받으면 그대로 부모님 앞에 내놓았지만, 너희들 시대는 용돈만 전하는 세월로 변했구나. 손자들은 아예 용돈마저 내놓지 않는 시대의 문화로 변해갈지 모를 일이나 화목함을 그려놓고 있다.

〈달의 언어〉는 중학교 3학년 때 담임했던 제자가 지금은 대학생이지만 밤하늘에 높이 떠 있는 달을 보면서 예전에 숙제하던 생각이 떠올라 은사님한테 카톡을 보냈다. 화자는 그 내용을 보고 달에 대한 수업시간의 회상을 이렇게 들려주었다.

수호는 중학교 3학년 때 담임했던 제자다. 그해 가을 나는 '같은 시간, 같은 장소에서 달 관찰하기'란 제목의 관찰일지 수행평가를 내준 적이 있었다. 방법은 하루 동안 달의 모양과 크기, 달이 떠 있는 위치가 달라지는 현상을 일주일간 관찰하여 매일매일 기록하고, 최종 소감을 작성하여 제출하는 것이다. 그 숙제를 받자 처음에는 감을 못 잡겠다, 어렵다, 왜 이런 걸해요? 하고 학생들이 불만을 했었다. "한번 해봐, 해보면

왜 이런 숙제를 하는지 알게 될 거야. 불만이 있으면 보고서 말미에 '이 숙제를 마친 후'란에 소감문으로 적어 내면 돼." 하고 나는 말했다.

우리가 살아가는 세상도 이와 비슷하다. 관심을 가지고 정성껏 대하면 상대방에게도 내가 특별한 존재로 남게 된다. 이때부터는 내가 세상의 중심이 될 수 있다는 설명을 덧붙이곤 했다. "어제 본 달과 오늘 보는 달이 같은 달이지만 어제보다 오늘은 모양이 조금 더 커졌고, 달이 지구를 공전한 만큼 위치도 달라져 있는 것을 보게 된다."라고 설명을 하며 수업을 하였다. 학생들은 달을 관찰하고 관찰일지를 작성하면서 교과서 안의 과학이 생활과 밀접하게 연결되어 있음을 각자 확인하며 수업 시간에 더 집중할 수 있게 됐다.

아마도 과학 시간이었나 보다. 학생들에게 달에 대한 관찰 일기를 쓰게 한 것 같다. 수업시간에 달의 관찰에 대한 과제를 통하여 '무심히 지나칠 수 있는 일상들이지만 마음을 담아 관찰하고 의미를 부여하면 특별한 무엇이 되듯, 학생들도 달을 관찰하면서 달로부터 나만의 의미를 찾기 바라는 마음에서 낸 과제이다.'라 하였다.

달은 바라보는 사람의 마음에 따라 다르게 보인다. 외로운 마음에 바라보는 달, 슬픔에 젖어 바라보는 달, 고요한 밤에 무심코 바라보는 달, 달은 바라보는 사람의 마음에 따라 달라 보임을 알게 한다. 달이 은은한 시적 서정을 담아냄을 선생님은 이런 사실을 경험케도 하고 있을 뿐만 아니라 달의 관찰을 통하여 인생 삶의 철학까지 가르치고 있다. 우리는 일생에 있어서 어떤 선생님, 어떤 친구와 선배를 만나느냐에 따라 그 인생의 삶이 달라진다고 하겠다. 사물을 보고 관찰하여 통찰하는 사고력까지 발전하여 가도록 지도하는 교사의 수준 높은 재치의 교육방법을 느끼게 한다.

나는 학생들에게 이렇게 설명을 다시 해 주었었다.

"조상들이 달을 보며 희망을 기원했듯이 여러분들이 1주일간 관심을 갖고 달을 관찰한 기억을 간직하기를 바란다. 그래서 나중에 많이 힘들 때 하늘을 한 번 더 쳐다볼 수 있기를 바란다. 달을 보면서 중학생 때의 순수하고 때 묻지 않았던 자기의 모습을 떠올리면 좋겠다. 그 기억을 발판삼아 세상을 건강하게 살아갈 힘을 얻기를 바라는 마음이다." 하고 말했다. 밤하늘에 떠 있는 높고 둥그런 달을 보면서 '나도 세상을 밝게 하는 빛과 같은 사람이 되어야겠다.'는 생각을 학생들이 할 수 있으면 된다. 친구와 다툰 날은 하늘에서 빛나는 달이 한 달 만에 다시 둥근 보름달이 되는 것을 기억하고 화해했으면 좋겠다. 학생 시절 관찰일지를 함께 작성하면서 느낀 즐거운 기억이 있으니 삶이 좀 더 여유롭고 넉넉해질 수 있지 않을까 생각한다.

교사의 가르침의 힘이란 얼마나 위력적인가. 문장을 통하여 자신의 학창시절의 추억을 돌이켜 보게 한다. 조동원 선생님, 그의 수필로부터 다시금 느껴진다.

달의 관찰을 기억하며 선조들의 역사적 삶과 아름답고 고귀한 인생관으로 달과 같은 사람으로 살라고 가르치고 있다. 어려운 일이 닥치면 달과 조용히 교감하는 마음으로 중학교시절의 순수하고 착한 마음을 갖으라고도 일러준다. 한편 학생들에게 '나도 세상을 밝게 하는 빛과 같은 사람이 되어야겠다.'는 꿈을 갖게 하는 희망을 키워주고 있다.

얼마나 빛나는 값진 가르침인가. 친구와의 금간 우정도 달의 변화를 통하여 반성하고, 화해함을 일깨워주는 인생 삶의 월광곡(月光曲)까지 느끼게 하는 교우간의 도덕적 교육까지도 깨우쳐 주고 있다.

〈이틀간의 행복했던 꿈〉은 '다문화 가정 대상 국가와의 교사교류 사업' 공문을 보고 서류접수 후, 1차 서류 합격은 하였으나 2차 면접시험에서 떨어졌다는 내용이다. 이번 도전에서 현실을 모르는 우물 안 개구리였다는 사실을 배웠다며, '나도 해보고 싶다.'를 '나도 해봤다.'로 의미 있는 경험한 글이다.

〈연꽃 그리고 연밥〉은, 연은 잎을 키우고 우아한 꽃을 피워내고, 시간이 지난 다음 꽃을 연밥으로 바꾸어 놓았다. 방죽은 자연을 정직하게 담아내고 있음을 보고, 겸손해진다고 하였다.

연꽃향 만을 그리워하고, 그 은은하고 기품 있는 향을 맡지 못함을 아쉬워하며 꽃이 다 진 뒤에 뒤늦게 와서 누렇게 변해가는 연밥을 보고 저기에선 흰색 꽃이 피었을까, 분홍색 꽃이 피었을까 상상하면서 뒷북만 치고 있는 자신을 반성한 작품이다.

조동원 수필가의 작품은 가정과 학교교육을 넘나드는 인생다운 삶의 길을 조용히 들려주며, 도전의식으로 자기의 부족함을 스스로 깨닫게 하고 있다. 한편 자연으로 부터의 인식을 승화시킨 문학적 필력의 향기가 은은하다.

푸른솔 문학 발행인 겸 편집인

충북대 명예교수 김 홍 은

달의 언어

초판 1쇄 · 2021년 8월 20일

지은이 · 조동원
제 작 · ㈜봄봄미디어
펴낸곳 · 봄봄스토리
등 록 · 2015년 9월 17일(No. 2015-000297호)
전 화 · 070-7740-2001
이메일 · bombomstory@daum.net

ISBN 979-11-89090-48-7(03800)
값 13,000원